鈴木貞美
SUZUKI SADAMI

ナラトロジーへ

物語論の転換、柳田國男考

文化科学高等研

DU MÊME AUTEUR 鈴木貞美のワーク

著書

『転位する魂　梶井基次郎』（鈴木沙那美名義）社会思想社・現代教養文庫 1977
『蟻』（鈴木沙那美名義の小説）冬樹社 1979
『谺』河出書房新社 1985（小説）
『言いだしかねて』作品社 1986―小説「言いだしかねて、身も心も」
『身も心も』河出文庫　1997
『人間の零度、もしくは表現の脱近代』河出書房新社 1987
『「昭和文学」のために　フィクションの領略―鈴木貞美評論集』思潮社 1989
『モダン都市の表現―自己・幻想・女性』白地社 1992
『現代日本文学の思想―解体と再編のストラテジー』（トランスモダン叢書）五月書房 1992
『日本の「文学」を考える』角川選書 1994
『「生命」で読む日本近代―大正生命主義の誕生と展開』NHKブックス：日本放送出版協会 1996
『梶井基次郎　表現する魂』新潮社 1996
『日本の「文学」概念』作品社 1998
『梶井基次郎の世界』作品社 2001
『日本の文化ナショナリズム』平凡社新書 2005
『生命観の探究 - 重層する危機のなかで』作品社 2007
『日本人の生命観―神・恋・倫理』中公新書 2008
『自由の壁』集英社新書 2009
『「日本文学」の成立』作品社 2009
『戦後思想は日本を読みそこねてきた　近現代思想史再考』平凡社新書 2009
『「文藝春秋」とアジア太平洋戦争』東アジア叢書：武田ランダムハウスジャパン 2010
『「文藝春秋」の戦争：戦前期リベラリズムの帰趨』筑摩選書 2016 右の改訂増補版
『日本語の「常識」を問う』平凡社新書 2011
『入門　日本近現代文芸史』平凡社新書 2013
『戦後文学の旗手・中村真一郎―「死の影の下に」五部作をめぐって』水声社 2014
『日本文学の論じ方―体系的研究法』世界思想社 2014
『近代の超克―その戦前・戦中・戦後』作品社 2015
『宮沢賢治―氾濫する生命』左右社 2015
『鴨長明　自由のこころ』ちくま新書 2016
『「日記」と「随筆」』（日記で読む日本史）倉本一宏監修　臨川書店 2016
『日記で読む日本文化史』平凡社新書 2016
『『死者の書』の謎―折口信夫とその時代』作品社 2017
『日本人の自然観』作品社 2019
『歴史と生命　西田幾多郎の苦闘』作品社 2020
『満洲国　交錯するナショナリズム』平凡社新書 2021
『最後の文人　石川淳の世界』田中優子・小林ふみ子・帆苅基生・山口俊生との共著　集英社新書 2021
『日露戦争の時代―日本文化の転換点』平凡社新書 2023

編著

『モダン都市文学2　モダンガールの誘惑』平凡社 1989
『モダン都市文学4　都会の幻想』平凡社 1990
『史話日本の歴史』清原康正共編　作品社 1991
『大正生命主義と現代』河出書房新社 1995
『雑誌「太陽」と国民文化の形成』思文閣出版 2001
『満洲浪曼』全7巻別巻1 呂元明、劉建輝共編　ゆまに書房 2002
『梶井基次郎『檸檬』作品論集』クレス出版 2002
『技術と身体：日本「近代化」の思想』木岡伸夫共編著　ミネルヴァ書房 2006
『わび、さび、幽玄―「日本的なるもの」への道程』岩井茂樹と共編　水声社 2006
『石川淳と戦後日本』ウィリアム・J・タイラー　ミネルヴァ書房 2010
『明治期「新式貸本屋」目録の研究』浅岡邦雄共編　作品社 2010
『『Japan to-day』研究―戦時期『文藝春秋』の海外発信』作品社 2011
『上海一〇〇年　日中文化交流の場所（トポス）』李征共編　勉誠出版 2013
『エネルギーを考える―学の融合と拡散』金子務共編　作品社 2013

目次

序章　日本のナラトロジーへ……4
1 今日のナラトロジー／2 構造主義＝記号論の地域的歴史性／3 東アジア、とりわけ日本の言語文化史の見直し／4 本書の展開

第一章　野家啓一『物語の哲学』第一章を脱構築する……14
1 野家啓一『物語の哲学』／2 脱構築の方向／3 柳田國男の『口承文芸』／4『遠野物語』／5 日本の象徴主義／6 ベンヤミンの「物語作者」／7 ジャック・デリダの「話者の死」論／8 国語の問題／9 ロラン・バルトの「作家の死」をめぐって／10 ナラティヴを規定するもの／11 ナラトロジーの国際的展開

第二章　ヘイドン・ホワイト『メタヒストリー』―類型に憑かれた知性……78
1『メタヒストリー』について／2 その企図／3「序論 歴史の詩学」／4 その問題点／5 啓蒙主義をめぐって／6 ヘーゲルをめぐって／7 一九世紀リアリズムの展開／8 リアリズの拒否へ／9 歴史・人文学史・自然科学史／10 類型・図形・操作

第三章　柳田國男民俗学のナラトロジー……142
1 近代という大きな物語／2「天皇制国家」論の枠組／3 日本近代思想史の分析方法／4 柳田國男民俗学の展開／5 抒情詩人の挫折／6 他界願望について／7 ジャンルとナラティヴ／8『近世奇談全集』のこと／9『遠野物語』の文体／10『郷土研究』／11『山島民譚集』について／12 ジュネーヴへ／13 帰国後の奮闘／14『口承文芸』／15『明治大正史 世相篇』／16 折口信夫と柳田國男／17『日本の祭』を読み直す／18 そして戦後

あとがき……217

序章

日本のナラトロジーへ

1 今日のナラトロジー

二一世紀に入って、文化多様性（Cultural diversity）は、すでに国際的に常識になっている。日本でも文部省・文化庁によって喧伝され、地域文化の興隆の梃にもなっている。それはだが、民族性と地域文化的特殊性とを混在させたまま、横並びで相対比較する思考を拡げている。それらのどちらにも、固有の歴史が生み出したものという認識が付随しているはずなのだが、いわば縦の多様性、歴史的変化が軽視される傾向が否めない。

第一次世界大戦が終結したのち、ほんの一時期だが、国際連盟が結成され、帝国主義の時代は終わった、これからは互いの文化の良いところを認めあい、国際関係を築いてゆこうという平和ムードが蔓延し、民族文化相対主義がほころんだ。だが、それは諸民族内少数派の抑圧に目をつぶるものだった。

二〇世紀後半、国際連合の文化機関、ユネスコの中心部で活躍した欧米のリベラリストたちは、その問題にも心を砕き、長い時を隔てて、ようやく地域内の文化特殊性を加えるかたちで補正したものが実現したということもできるだろう。だが、どこでも民族文化と地域内少数派同士の対立が複雑に絡みあって展開してきた長い歴史がある。それを解きほぐしてゆくのは、容易でない。そして、それには、広域の地域の特殊性も絡む。とくに東アジアの文化史は、古代から独自の展開をしてきたことは広く知られているが、その内部に踏み込んだ議論は、東アジア内部に閉じ、相互比較・相互関連は各国人文科学内で共有されるに至っていない。それに触れた欧米人が自国文化を基準に各国文化の紹介にあたる限り、国際的な相互理解は進まない。東アジアをはじめ、広域の地域的な歴史的変遷を無視した欧米中心主義の傾向は、今日のナラトロジーの進展にもつきまとっている。

欧米で一九七〇年代から、叙事詩、民話、歴史小説など文芸、および歴史についての叙述一般について、多岐にわたる言語作品を、語られた題材ではなく、その語り方、ナラティヴ（narative、語り）の形態（figure）についての考察が展開し、それが「ナラトロジー」（narratology）と一括されてきた。言語活動の技術についての批評を呼び込むは好ましい傾向だが、個々の言語作品に対する批評を超えて、人間の言語活動（language）の「語り」（narration）の方法、個々の言語作品の形態を規定する方法の考察に向かっている。それゆえ、今日では、依頼者との言語コミュニケイションを必要とする心理療法一般にも応用されているし、とりわけ今日のアメリカでは、多様化する顧客のニーズへの対応の仕方を重視する企業戦略にまで拡大され、いわば対社会関係における言語コミュニケーションやマネジメント一般に応用されてゆこうとしている。それらを通じて、言語活動一般の技術的側面をめぐる豊富な材料が提供されるなら、将来的にもナラトロジーの発展は期待されよう。だが、欧米の「普遍理論」とその応用が分野ごとに拡散的に展開している現状は、それら相互の関係が保証されているのかどうかさえ、危惧される。

たとえば二〇世紀後半に言語学一般論の展開に多大な貢献をしたロマン・ヤコブソンが一九六三年、失語症を二つのタイプに分け、一つを単語の「選択」すなわち指示対象との「相似性」（＝記号性）の獲得の失調、もう一つを単語間の「結合」すなわち「隣接性」（＝統辞機能）の獲得の失調とし、それぞれを提喩（メトニミー、metonymy）と隠喩（メタファー、metaphor）と関連づけたことはよく知られる。これは認知のしくみにおけるレトリックのはたらきを重視する傾向を生み、一九八〇年代には、レトリック、すなわち比喩、転義(trope)が概念操作の根本にかかわるという認識が定着したといってよいだろう。

しかし、かつて古代ギリシャにおいて、アリストテレスの『弁論術』(Technē Rhētorikē)は、論理的説得を主軸に置いて、感動を呼ぶ表現法や話者の人格などの要素を加え、総合的に説得術すなわちレトリックを論じるものだった。が、ローマ時代には、論理性は哲学の領域とされ、レトリックの意味が分厚い歴史をもつラテン語の修辞法に移っていった。今日の欧米のナラトロジーは、まるで、そのローマ時代のレトリックの方向を承けているかのようだ。

ところが、今日の脳科学の展開は、失語症の研究も、統辞など文法機能を司る脳の言語中枢、その部位を特定する方向に向かっており、それによって認知と表現にかかわる脳のメカニズムが解明されてゆく可能性もあろう。とはいえ、人間の認識は、目で見て、耳で聞いて、鼻で嗅いで、とバラバラな五官で受け取った感覚を統合する機能が中枢神経にあり、その機能が右脳と左脳に分担されている場合もあるからといって、インプットされた情報の処理の仕方が変化するわけではない。表現も、口で喋って、身体を使ってすることしかできない。身体の延長として種々の道具や器械を用いる場合でも、それは同じである。

そして、どのようなコミュニケイションも、言語（自然言語、natural language）がそうであるように、社会的習慣的な約束の束、すなわち文化に拘束されている。その習慣を変えることも社会的にしかなされない。コミュニケーション不全もその原因が器質的かどうかを問わず、そのときの地域文化への適応の問題である。それは、その地域文化の歴史的特殊性を把握しなくては解決しえない。

2 構造主義＝記号論の地域的歴史性

ロマン・ヤコブソンは、また「言語学と詩学」(Linguistics and Poetics, 1960) で文芸学 (lierary studies) と個々の作品や個々の作家の批評 (critics) とが混同されているといい、前者を言語活動の一般理論の一環を志向する「詩学」(言語芸術論) と規定し、さらに詩劇の音楽化や絵画化 (挿絵作)、小説の映画化やマンガ化の例などを挙げ、ジャンルを超えて、それらにも「プロット」(plot) が共有されるため、「詩学」の手法は記号学一般に拡張されると述べていた。

その「プロット」は、ストーリー展開を要素的バターンの配列として示すものである。ソ連の昔話研究家、ウラジーミル・プロップが、登場人物をそれぞれのはたらきに還元すれば、七つに分類しうること、ストーリーを三一のパターンの展開として抽出しうることを示した『昔話の形態学』(1928)* の英訳 *Morphology of the Folk Tale* が一九五八年にアメリカで刊行され、それをヤコブソンらが構造分析の先

* ウラジーミル・プロップПропп, Владимир Яковлевич (1895-1970)
『昔話の形態学』*Морфология сказки,*, 1928

駆として評価したことは、よく知られる。

プロップの「発見」は、二〇世紀前期に盛んだったロシア・フォルマニズムの芸術思潮、作家論から作品構造論への転換を民話の分析に用いたもので、その契機は地域的歴史的に規定されていた。メディアの無視が指摘できる。またプロップのプロットの分類は、今日のフランスでは、先行するブロットが後の展開を呼び起こす相互規定関係（いわゆる伏線的作用）を度外視したものであり、ナラティヴの分析としては欠陥をもつことが明らかにされてもいる。

それとは別に、フランスのジェラール・ジュネットは、ロシア・フォルマリズムを継承展開したツヴェタン・トドロフの文芸ディスクール論との対話を通して、物語内容（histoire）の全体性と、プロップのいうプロットに相当する個別の出来事についての物語（récit）とを分け、それらの生産行為をいう「語り」（narration）の視角を加え、マルセル・プルーストの『失われた時を求めて』（*À la recherche du temps perdu*）の幾重にも重層した言説（discourse）の藪から二〇数通りの「語り」の類型を抽出したりした。そこで「語り」の概念は、享受美学を含むなど、かなりルーズに用いられ、それによって批評主体の自由度が保証されている。そして、ジュネットは物語テクストをあらゆる視角から分析し、それぞれのテクスト間の関係をもあぶり出す方法を開拓し、かつ映画や建築など他のジャンルと関係づける形態学一般を志向する *Figures I-III*（1967-70）を展開したのだった。

ヤコブソンとジュネットが志向する一般理論は、構造主義＝記号論こそが普遍理論たりうるとする二〇世紀後半の欧米の思考傾向をもつ。そしてそれらもまた、第二次世界大戦後の情報工学（computer science）の飛躍的発展による情報グローバリズムによって国際的に拡がった。今日の日本においても、それらを普遍理論として受け取り、日本の文化現象に適用しようとする傾きが強い。相変わらず、西洋理論を普遍的なものと見なす傾向が横行しているといわざるをえない。

3　東アジア、とりわけ日本の言語文化史の見直し

だが、たとえば日本の民俗学においては、プロップの「プロット」の抽出方法に示唆を受けて、比較的短い日本の昔話の「話型」分類が発展した。それは物語内容の差異を段階的に分類するもので、日本神話の神々の誕生の段に適用すれば、東アジアに散在した死体化成神話と男女神の交接による子神の誕生のバターンが複合していることが容易に了解される。かつ後者には、失敗を経て、産み直しするパターンが加わっていることも抽出できる。その失敗には、女神から誘ってはならないという教訓が付随しており、考察は、東アジアにおける日本上代の神話の特殊性に及ぶ。民間伝承をその登場者の役割に還元するプロップの方法も、操作法を変えれば、地域的歴史的特殊性の解明に向かうこともできる。

さらにいえば、ヤコブソンやジュネットらによるナラトロジーの一般化の方向も、古典ギリシャ時代におけるアリストテレスの『詩学』（De Poetica）がポイエーシス（制作）の技術一般論、すなわち“art”の原義を孕んで進行していたこと、さらには、言語芸術に限定することなく、かつてアリストテレス『弁論術』（Technē Rhētorikē）が論理性を主軸において展開した「語り方」の総合技術論へ螺旋的に回帰する

可能性も孕んでいるといえよう。

たとえば中国語の「藝術」は、もと士大夫が身に着けるべき「藝」と医術や占術、錬金術等の方術を指す「術」を併せた技藝一般を包含する概念で、その意味では西洋古典と併行していた。中国では、言語における高級な文芸は「文学」と呼ばれており、一九世紀半ばの香港で西洋近代の“literatur”の中義語(広義は自国語の文書一般)、高級な文献を範囲とする人文学(the humanities)と互いに訳語となった(その時点で西欧では、詩・戯曲・小説をいう狭義の“literatur”は一般に浸透していなかった)。

だが、ヨーロッパの知識層が長く国際共通語として用いていたラテン語に換えて、一八世紀半ばころから民衆の口語を自国語(national language)として、それぞれの国民国家の標準語を制定していったが、中国では古代から公用語の読み書きことばを「文言」とし、宋代から講談や演芸を通じて民衆のあいだに喋れなくとも聞けば理解できる「共通語」が成立し、民衆の口語に近い「白話」が展開し、明代には長篇小説も書かれるようになっていた。前近代のうちに二つの文体様式(written modes)が展開し、それが近代においても存続していたのは国際的に中国だけである。

日本においては、知識層は古代から漢文を公用語とし、近世からは日本語となるが、時代による濃淡はあれ、少なくとも二〇世紀半ばまでの知識層は古典漢文の読み書きを必須としていた。加えて、近代には、最低でも英語が必須しされ、トリリテラシーが要求されていた。

日本ではまた、古代から漢文書き下し体と和文の二つの自国語の文体様式が成立し、中世には種々の和漢混交文体が展開、中世後期には狂言や浄瑠璃などの芸能に民衆の口語体も成立し、江戸時代においては、都合四つの文体様式が流通し、それが民衆のあいだに中国より多彩な文芸ジャンルの展開を保証していた。前近代のうちに二言語と四つの自国語の文体様式をもっていた国は日本だけである。

明治政府は、かなり硬い漢文書き下し体を日本語文体の正格とし、二〇世紀に入ると「言文一致体」を許容、これがかなり優勢になったが、小学校高学年には硬い漢文書き下し体が要求されつづけた。その言文一致体、すなわち民衆の話しことばに近い口語体が正格とされるのは、第二次世界大戦後のことである。

今日の西洋のナラトロジーが言語メディアを超えて展開する趨勢を受け止めるなら、東洋においては古くから文字と図像が一つの画面におさめられ、鑑賞の対象とされていたこと、古代から仏教の布教に器楽とともに「変」と呼ばれる絵解きが用いられたことや、唱道説話と曼荼羅や縁起などの図像や絵巻が展開し、また早くから木版印刷が発達し、挿絵の入った読み物も流布するようになっていたことなどが浮上しよう。日本においては一九世紀前期から「合巻」と呼ばれる小説（草双紙の一種）や百人一首の浮世絵版画などか生まれもした。これらは西洋で一九世紀半ばに活字と絵画を組み合わせた若年向けの絵本が展開しはじめる以前の文化事象である。これらのメディアの多彩さも、今日の西洋のナラトロジーを歴史的地域的に相対化する契機となろう。

総じていえば、普遍理論を標榜する今日の欧米のナラトロジーが、その歴史的特殊性ゆえに、まったく無視してきた東西の言語文化史の決定的なちがいを明らかにし、東アジア、とりわけ日本の歴史的特殊性に即したナラトロジーの開発に向けた考察に向かいたい。それによって西洋中心主義を脱した国際的なナラトロジーの構築に向けた、ささやかな一歩を踏み出すことを本書は企図している。

4 本書の展開

欧米におけるナラトロジーは、社会的存在としての作者とは別に、社会の歴史から相対的に自立したストーリーをめぐって、その内容とは別に「語り方」とそれを担う語り手に着目する方法を開発し、それに従来の話法や比喩の転義などのタームを再定義して文学理論に組み込み、かつ映画制作など他の芸術ジャンルと関連させ、壮大な「語り」の形態学を志向するものである。ところが、日本では「物語論」と翻訳され、『源氏物語』をはじめとする個別の文芸作品の分析方法として了解される傾きが強く、欧米のナラトロジーの志向のよってきたる所以、その歴史性を明らかにすることは等閑視されていたといわざるをえない。

実際のところ、フィクションをめぐるナラトロジーには、もう一つの"histoire"すなわち歴史的出来事のディスクールに付随する虚構性の問題が伴っていた。その点に着目し、歴史叙述を含むナラトロジーを「物語行為」をメタレヴェルで考察する動きとしてとらえ、ヨーロッパ近代を相対化するポスト・モダンと呼ばれる考察法と関連づけて論じたのが、野家啓一『物語の哲学—柳田國男と歴史の発見』(岩波書店、一九九六)だった。本書第一章では、そこに孕まれている問題を「物語」と「歴史」の双方にわたって析出し、日本の言語文化史の展開のなかに置き直す考察を試みる。

第二章では、野家啓一が『物語の哲学』の増訂版(二〇〇五)第7章「物語り行為による世界制作」で、物語論の系譜の上で記念碑的著作の一冊にあげているヘイドン・ホワイトの『メタヒストリー：一九世紀ヨーロッパにおける歴史的想像力』(*Metahistory: The historical imagination in nineteenth-century Europe*, 1973) を検討する。実証史学の展開をリアリズムのレトリックとして扱う際に陥る欠陥を剔抉しつつ、実証史学のイデオロギー性を明らかにする。

第三章では、野家啓一が『物語の哲学―柳田國男と歴史の発見』で柳田國男の「物語論」として扱った領域をめぐって、野家が攻撃を受けた柳田國男の評価史を検討しなおし、柳田國男の民俗学の出発点に『遠野物語』を位置づける今日まで継続している評価を覆し、柳田國男の民俗学は、西欧象徴主義の受容のなかに出発したこと、一九二〇年代までは江戸時代の奇譚類を主な対象としていたこと、また『遠野物語』のナラティヴが、岩野泡鳴が開発した「一元描写」によっていることなどを明らかにする。また柳田國男の民俗学を戦前期天皇制論に随伴し、補完するものであるかのように評価してきた誤りを指摘し、戦中期の『日本の祭り』(一九四二) においても、柳田が皇室の祖先崇拝、神社神道を国家の管理下におく趨勢を批判するスタンスをとっていたことを明らかにし、それが折口信夫の神道論と交錯していた様子も再考する。

第1章

野家啓一『物語の哲学』第1章を脱構築する

1 野家啓一『物語の哲学』

ナラトロジーをめぐる動きの大概は、日本でも翻訳・紹介され、議論もされているが、今日、日本人が書いた書物としては、野家啓一『物語の哲学─柳田國男と歴史の発見』(岩波書店、一九九六、増訂版『物語の哲学』岩波現代文庫、二〇〇五)を代表格にあげることができるだろう。そこでは「物語」を「物語」内容と「物語行為」(増補版では「物語り行為」とも表記) に分節し、その副題に「歴史の発見」の語が見えているように、言語構築物という意味で物語の一種と考えられる「歴史」に焦点があてられてゆく(増補版では後に2章を追加)。そののち、野家は、歴史とは何かについて、とりわけ二〇世紀における考え方の変化を、日本における受容を含めて追った『歴史を哲学する─七日間の講義』(岩波現代文庫、二〇一六)を刊行している。

野家啓一は二〇世紀初頭のウィーン派など科学哲学の研究に出発した人。その論理実証主義が論理の根拠を数学から言語に向ける動き(言語論的転回)をトレースしているうち、二〇世紀の歴史学におけ

Why does Narratology Need to be Made in Japan? (1);
An Experiment to Deconstruct the First Chapter of
Philosophy of Narrative by NOE Keiichi,
iichiko intercultural, Winter 2022, no.153

る実証主義の論理的整合性――史実の再構成にはたらく材料の選択、それらへの視角、解釈、論理操作を規定する歴史観――が言語による「解釈学的再構成」として論じられるようになってきたことに注目してきた経緯がうかがえよう。

野家啓一『物語の哲学』は第1章「1物語の衰退」で、柳田國男「口承文芸大意」(一九三二)から、印刷術の発達が口承文芸を衰微させているという言を引き、他方、ウォルター・ベンヤミンのエッセイ「物語作者」(Der Erzähler, 1936)から、口承される叙事詩が衰退し、小説の読み書きという孤独な営為が隆盛していることを述べた短い一節を引いて、それらが「近代批判というすぐれて現代的な問題意識に貫かれていた」という。ここには、二〇世紀後期の人文科学に顕著になった「近代」を相対化するポスト・モダンと概括される知の営みへの関心を見てとることができる。その関心は、わたしも共有していたゆえ、その初版の刊行時に関心をもったのだった。

この問題設定ののち、野家は第1章「2　声と文字」では、口承文芸を「声の直接性」と「伝承の歴史性」という二面性をもつと指摘したうえで、エドムント・フッサールの最晩年の論文「幾何学の起源」が「客観的真理」は幾何学といえども国語によって保障されると述べていることに、彼の現象学から解釈学への転回の契機を見出だし、それを「近代文化の存立根拠」と指摘する。その際、「客観的真理」について、フッサールが現象学とともに提示した、個人の主観を超え、時空を超える「間主観性」(Intersubjektivität)をもつものと解説している。

「3『話者の死』から『作家の死』へ」では、フッサール「幾何学の起源」に着目したジャック・デリダがジャン＝ジャック・ルソーがパトス（情念）を重んじ、音声言語を重んじて組み立てた論理中心主義を批判したことを紹介し（「話者の死」論）、それを発信者である作者を絶対視する近代の文芸観を撃ったロラン・バルトの「作家の死」や「テクストは引用の織物」論へつなぎ、テクストの意味の再組織化を読者に委ねる「受容美学」に通じる論議と見て、聴く者の反応によって伝承文芸が変容したことなどを説く柳田國男の伝承文芸論との近似性を指摘してゆく。

「4『起源』と『テロス』の不在」では、「物語」の性格を作家の内面という起源を持たず、また目的ももたないものと規定する。「5 解釈装置としての物語文」では、経験を経験たらしめることは、それを語り、他者とのあいだで共同化することだといい、それには解釈が不可欠であるゆえ、物語られるのは解釈された経験の記憶であるとまとめ、川田順造『無文字社会の歴史―西アフリカ・モシ族の事例を中心に』（1976）などを媒介に、その堆積が共同体の歴史として伝承されることをいう。そして、最後の結論は次のようなものである。

柳田國男が「ポスト・モダン」の論議に通じる口承文芸論を展開しえたのは、彼が「凡百の保守主義者や反近代主義者とは異なり」、近代における「物語の衰亡」、すなわち「歴史意識の断絶」に抗して、常民の生活に活きている口承文芸を「共同体の記憶と経験を伝承する不可欠のメディア」と見て、彼らの「生活世界の解釈学」を展開、それをもって「近代という大きな物語」を撃つ橋頭堡として対置したゆえである。それに対して、ベンヤミンは物語の衰亡を「百年来続いている歴史的生産力の一つの付随現象」と冷徹に見て、「複製技術の時代における芸術作品」に「大衆参加の回路」を見出してファシズムに対決する道を選んだといい、両者は「近代」に対して「背中合わせ」に立っていたと第1章を結ぶ。

一見、見事な運びだが、わたしはまず、柳田國男とベンヤミンの近代批判とを並べて比較する問題設定の仕方が、論議の入口にしても、鷹揚にすぎると思う。というのは、柳田國男「口承文芸大意」にいう口承文芸は、野家のいうように、まずは日本列島に暮らす目に一丁字もない非識字者たちの間に伝えられる説話の類を指しているが、その内でも、語り手が話の内容を信じておらず、面白さを狙う「昔話」を主眼においていた。だが、先のベンヤミンの一節は、音声による叙事詩から文字による小説へと文芸ジャンルの重点移動をごく簡略に指摘するもの。そこにいう「叙事詩」(epic)は、出来事の展開、ストーリーをもつ詩の意味で、聴衆を前にして歌われる古代ギリシャ神話を題材にしたものから殺人事件などを題材にとるバラードの類、また劇詩までを包括する概念と見てよい。つまりは言語の相違を超え、ジャンルのちがいを跨いだ文学史の略図である。これは「口承文芸大意」で、歌謡を外し、散文の説話の文芸に限定して述べている柳田國男とは問題設定がちがう。

ここで柳田國男は、印刷術の発達を説明する際に「定本」という語を用いており、近代の活版印刷を指していると見てよく、それゆえ、野家啓一の問題設定が成り立ったのだが、実は、柳田が対峙しつづけたのは近代の印刷術よりも、当代に活きている伝承文芸に見向きもせず、その死骸として残る文献だけを対象にする近代のフォークロア研究だった。

柳田國男は『桃太郎の誕生』(一九四二)で、「昔話」は、中世において座頭やゴゼらの芸能者が介在することによって、より興味を惹くように、また彼らの盲目に引きつけられて語られて変容したといい、また中世に木版で印刷された「お伽草子」類や江戸時代の「赤本」の類にもふれている。そして、それらよりも、むしろ当代に口頭で伝承される「昔話」の方に古形が残っていることを例証し、それゆえ現地での「採集」を尊重したのである。言い換えると、柳田が独自の民俗学を築くうえでも、それら印刷された文献を参照することが不可欠だった。ヨーロッパと日本の言語文化と印刷術の発達のしかたのちがいを考慮することなく、ベンヤミンと柳田の「近代批判」を同列に並べて比較することには陥穽が口を開いているとわたしは思う。

そして、柳田國男の村落の「生活世界の解釈学」は、野家啓一の最初の設問を崩すところにまで展開した。『口承文芸史考』(一九四七)のうち、「口承文芸とは何か」(七)では、大衆小説における読者層の関与にもふれているが、その「昔話と伝説と神話」(一六)では「昔話零落の主たる原因は、書物の進出でもなく、時間の欠乏ではなおなかった」といい、村人たちの関心が日清・日露・日中戦争から第二次世界大戦への展開などの話題のみならず、村落の外部に関する「説話の他の種類のもの」、いわゆる世間話に向いていったゆえ、としている。世間話とても、それなりの起源と目的をもち、出来事の選択がなされ、解釈も加わるだろう。口頭伝承される文芸、すなわち「昔話」を衰亡の危機に追いやったのは、ほかならぬ近現代の別種の声の文化だったのである。

野家啓一『物語の哲学』は、増補新版の「あとがき」にいうとおり、柳田國男論を目的にしたものではない。そこでは、その初版に対して、柳田國男の民俗学に対するイデオロギー批判がないという批判を受けたが、「柳田の口承文芸論のなかに露頭を現している近代批判の潜勢力を顕在化させようとしたまで」とことわっている。わたしの覚える違和は、柳田の口承文芸論のもつ「近代批判の潜勢力」を、野家がよく顕在化させえているかどうかにかかわる。その角度からの批判は、いまだに寄せられていないと推察する。柳田國男の民俗学の概要を知っている人なら、この論にリアクションを示すことを放擲したままにちがいないからだ。かつてわたしがそうしたように。

野家啓一は、第3章以下、欧米の「歴史についての分析哲学」を参照しながら、解釈学的な「物語行為」論への道筋を辿る行文のなかで、折に触れて『源氏物語』など引き合いに出しても、日本の『平家物語』『太平記』など一種の歴史叙述、曲亭馬琴の『南総里見八犬伝』のように「史実」をベースにおいた虚構物語にも及ぶことはない。ここで敢えて「ないものねだり」的なことをいうのは、日本のナラティヴへの関心のもちかたがわたしとは相違していることを明らかにしておきたいからである。

そして、柳田國男とベンヤミンの「近代」との対峙の仕方を比較するのであれば、それは日本と西欧のそれぞれの近代文芸を「近代という大きな物語」から解き放す試みとともになされてしかるべきではないだろうか。野家啓一は、柳田國男が『遠野物語』(一九一〇)を刊行したとき、田山花袋に代表される「日本自然主義」文芸の動きに対峙していたと述べているが、これは第二次世界大戦後の文芸批評がつくった図式に安易に寄りかかった見解といわざるをえない。あるいは、その図式を解体再編成する作業は、ジャック・デリダやロラン・バルトのそれぞれの「ポスト・モダン」論議の意義とともに、それぞれの限界を映し出す鏡になりうるかもしれない。

野家啓一『物語の哲学』を手掛かりとしながら、日本のナラティヴを歴史意識とかかわらせて論じるには、いかになすべきかを考えてゆきたい。日本の文化は、国際的には特殊例だとしても、特殊を包摂できない普遍理論などありえない。日本のナラティヴを鏡にすることによって、ナラトロジーも普遍理論に一歩近づけることができるかもしれないと思うからである。

2 脱構築の方向

野家啓一が『物語の哲学』で、ナラティヴの問題と取り組むに先立ち、柳田國男とウォルター・ベンヤミンの「近代」批判を比較することに発する第1章に対して、わたしが覚えた違和感の主な理由は、野家とわたしのナラティヴについての問題意識のちがいがあげられよう。第一に、口頭伝承内の伝説と「昔話」のちがいも、それらと伝承の記録、また創作とされてきた小説との差異をも跨いで、ジャンル(カテゴリー)を無視ないし軽視して展開される「物語行為」論に対する疑義であり、第二には「語る」を「話す」と「書く」の中間に位置づける論理構成である。第三に、東西の文化圏における国語の意味、印刷技術の発達のちがいと民間の読み物の普及に無頓着なことなど言語文化史にかかわる疑義である。

そして、野家啓一が柳田國男「昔話」論の位相をとらえそこねている大きな理由は、戦後につくられた「ロマン主義」対「自然主義」の「日本近代文学史」の図式に安易に依拠していることにもある。その「日本近代の物語」から柳田國男の追究や「自然主義」やらを解き放つなら、日本の文芸界に、二〇世紀西欧の文芸界の一人称ナラティヴを先取りするような理論さえ生じていたことも明らかになろう。以下、順に簡単に要点だけ述べてゆく。

第一のジャンルやカテゴリーの無視ないし軽視について。『物語の哲学』第1章「4『起源』と『テロス』の不在」で、野家は、「物語」の性格を作家の内面という起源を持たず、また目的ももたないものと規定するために、目的意識をもつ行為(practice)と習慣的行為(habitus)との差異をいう。だが、"practice"は、考え(idea)や理論(theory)に対する語であり、そのうちに習慣的行為を包んでいる。一般に子供が日常的に行う習慣的行為は、両親や家族、眷属などの信仰儀礼に基づく習慣が教えられるが、行為者に、その意味が意識されているかどうかは、第三者には判断できない場合も多い。したがって、"practice"は"habitus"と未分化なまま、文脈によって使いわけられることが多く、言い換えると、その分節化は、その文の語り手ないし書き手の目的意識的な操作によってなされることになる。「物語」が起源も目的ももたないなどとどうしていえようか。

そして、これを野家が「5 解釈装置としての物語文」で、川田順造『無文字社会の歴史』で扱われている無文字社会で語り伝えられる部族ないし民族伝承につなげてゆくところも、危うい綱渡りを想わせる。柳田國男が主な対象にした「昔話」は、聴衆に一時の娯楽を提供する奇譚の類をいい、その語り手は最後に、それが本当にあったことかどうか、自分には判断できないと語る常套句を付けて終わるもの。これは一時の娯楽を提供するという目的をもっている。そして、その起源は、その場の語り手にとっては、誰かから繰り返し聴いたことにあるが、その「昔話」の内容は、誰かが遭遇した奇異な出来事を想起しつつ、ストーリーを展開し、そして結果に至るまでを他者と共有するために語った行為を起源としてもっている。他者と共有されるのは、家族が繁栄した原因や、どこそこの祠にお供え物をするようになった村落の習慣の起源であったりする場合もある。それに対して、川田順造『無文字社会の歴史』が対象にしているのは、ある部族が、その起源から、いかにして現在にいたったかのストーリーを、その成員が共有し、部族や民族のアイデンティティを保証するものである。どちらの語りも、絶えず語りの現在時から過去が再解釈されながら伝承されるにちがいないが、柳田國男は、一族の起源を語るような伝承は「真面目」なものゆえ、その類を「伝説」として、「昔話」とは区別した。そして「昔話」の面白さを狙う目的を考慮して「文芸」と呼んだのである(後述する)。それは、目的によるジャンルないしはカテゴリーを無視して、一括して「口頭伝承」のように扱うことを拒否する姿勢といえよう。野家啓一の「物語行為」論がジャンルやカテゴリーの相違を勘案しないのは、物語行為の外形だけを見て、内容を捨象してしまうためである。行為的側面に限って分析する操作により、実際の行為から、その目的も意味も剥奪しておいて、その行為には、もともと目的も意味もないと論じているに等しい。

疑義の第二、「語る」を「話す」と「書く」の中間に位置づける論理構成について。これは『物語の哲学』第2章「物語と歴史のあいだ」を参照した方がわかりやすいだろう。野家啓一は、そこで「話す」が双方向的で、「状況依存的」であるのに対して、「語る」が「単方向的」で、状況から独立した傾きを持つことをいい、西郷信綱が『神話と国家』(一九七七)で、和語「はなす」は「はな(放)つ」、「かたる」は「型」や「象」に関係づけられるという古説を引いて、その相違を述べていることを参照し、さらに「物語ること」(telling)を「話すこと」(speaking)と「書くこと」(writing)の中間に位置付ける。そして歴史的過去の想起による「物語」の全般が解釈学的行為であることについて論議を重ねてゆく。が、わたしは、この展開にも、かなりの戸惑いを覚える。

野家啓一は、その過程で、西郷信綱が『神話と国家』のなかで、「昔話」が「あったとさ」「あったげな」等のことばで語りおさめるのは、「話者がその話に責任を負うまいとする形だともいわれる」と述べていることについて、そもそも伝聞形式の語りは、発話主体の個人主観性のレヴェルではなく、間主観性のレヴェルにあり、「責任」云々は「いささかミスリーディング」だという。そして柳田國男が『日本文芸史考』で「カタル」には「多数の参加、知識の共同の意味があったのかと私は思う」と述べているところを引いて、「語り手」の言語共同体の集蔵庫からの引用は、すなわち歴史的連鎖への加担となるという自説を補強している。ところが、ここで西郷信綱が紹介している語り手の「責任」云々は、もともと柳田國男が、昔話の語り手がその内容が事実かどうかわからないことを表明する意識について述べた説である。すでに述べたが、口頭伝承一般から起源と目的を消すことはできないだけでなく、「昔話」から語り手の意識を消すことなどもできない。もし、消してしまうなら、一度、成立した「昔話」は、同じ話がずっと伝承されつづけることになろう。これでは柳田國男の「昔話」論は成り立たない。

聴き手に面白さを提供する「昔話」は、語り手と聴き手の向き合う場所に規定されて変容する。語り手が聴き手の関心を集まるところだけを肥大化したり、そうでないところが殺ぎ落とされてしまったりする。そのようにして、中世に物語を生活の糧として諸国を放浪する者たちによって伝承文芸の内容は大きく改変された。それに比して、むしろ辺境に近い村落の内部で語り継がれてきた「昔話」の方が、改変の程度が少なく、祖型に近づきやすいと柳田國男は多くの事例から推定したのだった。

そして、ここで野家啓一が柳田國男の『日本文芸史考』の一節を引用していることにも、少なからぬ驚きを覚える。その理由は、すでに明らかだろう。野家啓一は、フッサールが「幾何学の起源」にいう客観的真理も、柳田國男のいう「昔話」も、伝聞形式の「語り」一般も、個人の主観を超えた間主観性のレヴェルの解釈学的言語行為と括っていたが、もう一つ、村落の外で起こった出来事について、噂話やラジオのニュースで耳にしたことや、識字者が新聞に書いてあったことの伝聞を語る「世間話」にも、当然のことながら、選択や解釈が加わるので、その仲間に入れてよいのではないか。野家啓一の目に、近現代の「世間話」が「昔話」を衰微させたという柳田説が入らなかったのは、それも伝聞の語りの一種と考えてみなかったからだろう。伝聞を語る場合の語り手の聴き手に対する意識や態度は、一般化できず、それぞれの場合を考慮しなくてはならないのではないか。

野家啓一は、「物語行為」をその行為的側面に抽象化し、「語ること」を、音声で「話すこと」と墨やインクの染みに残す「書くこと」との「中間」に位置するというが、それは「中間地帯」の意味ではなさそうだ。実際に野家啓一は「物語行為」を、口頭伝承一般、ロラン・バルトのいう小説のテクスト、また『源氏物語』などに跨って論じている。そうだとすれば、「語り」の痕跡を残す記録、たとえば日本の中世に印刷されて民間に出まわった「お伽草子」と称する「伝承文芸」の類も「中間」に位置することになろう。

それが第三の、柳田國男が対峙した「近代」の問題に直接かかわる。実際のところ、柳田が学問の上で対峙したのは、印刷された文献を専ら対象とする国文学研究や国際的なフォークロア研究であり、後者の方向は、古代インド・古代ローマ・中東からヨーロッパに言語を超えて拡がった民間伝承の伝播や系譜を考察するものだった。それに対して彼は、同じ日本語の伝承文芸のさまざまな文字記録よりも、当代の、いわば辺境に活きている「昔話」の方が、その変容の過程を遡りうる可能性を残しているゆえ、その淵源を日本固有の神話にまで辿ることができるのではないかと考えていたのである。

総じていえば、野家啓一は、「物語行為」を間主観的な言語行為すなわち解釈学的なストーリー・テリングと一括し、「歴史」もその一環として同列に論じるために、音声言語と文字言語に跨る領域として設定し、その考察から語り手の意識を消してしまう。その操作によって、柳田國男のいう「昔話」も、日本古典にいう「物語」も、西欧近代の小説のテクストも、そして西欧近代の歴史論のさまざまも、その差異を無視して論じられるような論理水準に置いた。そのようにしてなされる「物語行為」についての考察は、言語一般と諸国語、伝聞一般と口頭伝承、および口頭伝承内の下位ジャンルなど、カテゴリーによるナラティヴの性格を無視ないし軽視する操作にほかならない。また、それらについての諸学説の体系を東西の言語文化史の展開のなかで評価する立場も欠いている。これは「物語行為」を、すなわち間主観性の水準とする野家啓一の立つスキームがしからしむるところである。なぜなら、口頭言語の場合には、語り手が聴き手とのあいだに、文字言語の場合には、書き手が読み手を想定してつくる、それぞれの役割意識が消されてしまい、したがって、発信者の場所的規定性によって生じる各ジャンルのナラティヴの性格が無視されることになる。

それら広義の文芸諸ジャンルや東西の言語文化史、あるいは印刷技術の発達のちがいなどは、国際的な普遍理論として展開しているナラトロジーにとって、また歴史のナラティヴを考える上でも、避けて通ることのできない問題だろう。また、わたしが疑義の第四としてあげた問題は、わたし自身が取り組んできた、近代的価値観によって整理されてきた日本文芸史を、個々の作品の表現形態に着目することによって再編する作業に根をもっている。以下、これらについて、もう少し踏み込んで考えてゆきたい。

3 柳田國男の『口承文芸』

野家啓一が『物語の哲学』第1章の冒頭に引いている「口承文芸大意」を柳田國男が講演したのは菅江真澄の『真澄遊覧記信濃の部』(一九二九)の刊行記念会でのことである。「口承文芸」はフランス人の学者が用いていた"la liténature orale"の訳語として、このときはじめて柳田が用いたものらしい。柳田は、そこで、文字で書かれたものを含意する"liténature"に口頭のという形容詞をつける、いわば言語矛盾は承知の上で、それを借りていることを示している。「口承文芸」は言語矛盾ではないか、と横槍が入ることを、予め避ける意識がはたらいたのかもしれない。綾や紋様を意味する漢語「文」も「文字」という語に示されているように、もともとは書かれたものと密接に結びついていた。「文」に対して「話」や「談」、「語」も、中国では古くは喋ることに傾いて用いられていた。両方に跨る言葉の意味では「辞」「詞」があった。

なお、菅江真澄は、尾張で国学系の和歌や本草などを学んだのち、中部日本から東北をまわって風俗習慣、口頭伝承類を書き留めたことで知られるが、その一八世紀後期は、享保の改革の後半から農村の生産力があがり、上層農民が余暇に集まって、和歌を嗜む風潮も拡がっていた。菅江真澄はしばしば、そのような席に招かれていることも、民衆の言語文化にかかわることゆえ、ここにつけ加えておく。

柳田國男は、すでに「口承文芸大意」以前に、「木思石語」(一九二八)で、民間の口頭伝承(口碑)を「国民の歴史」の本体と見定め、その内を「歌謡」と「説話」に分け、中間に「歌物語」を置き、「説話」のなかを、真実として伝えられる「伝説」と面白さを狙う「昔話」とに分け、「笑話」を「昔話」の頽落したものと見て、「昔話」を中心に置く「口承文芸」研究の方向を決めていた。それゆえ柳田は「義経伝説」「美女伝説」などの用語法は嫌っていた(「昔話と伝説と神話」32)。「歌物語」は、歌謡や和歌を伴なう説話というくらいの意味で、信仰からの距離をいうが、記紀中に見える「童謡(わざうた)」、『大和物語』や『伊勢物語』のような歌物語群、『竹取物語』のような歌物語の一連の展開までを想定しているのか、どうにも不分明である。

なお、一九一四年、柳田とともに雑誌『郷土研究』を創刊した高木敏雄は『比較神話学』(博文館続帝国全書、一九〇四)の「序」で、神話の伝播を強調し、比較神話学の重要性を説き、〔第壱章 総説 第壱節 神話学の概念及び其由来〕で「古代の希臘語に『ミュトス』と云う語あり。普通の解釈に従えば、説話或は伝説の義にして、厳密の意義に於ては、歴史のはじまる以前の時代に起原を有する伝説の謂なり。今日の科語に於ては、『ミュトス』とは一般に一個の神格を中心とする、一個の説話の義にして、之を邦語に翻して神話という」と述べ、「神話」と「説話」の関係を整理していた。これによって、中国でも前近代日本でも、「説話」の語が「科語」すなわち学術的なタームとなった。帝国大学ドイツ文学科出身の高木敏雄の立場は、ドイツ国内のゲルマン主義神話学がマックス・ミューラーの印欧（アーリア）語族神話説の影響を強く受けていたため、同時に比較神話学の色彩も持っていたのである。また、グリム兄弟の編んだ *Kinderund Hausmärchen* (1812, 15) に、その題意を汲んで「童話」の語を好んで用いたのも高木敏雄だった。

なお、グリム兄弟の民話の収集はドイツ語研究の面も強くもち、伝説にも及んでいく。ドイツのフォークロアは民謡の収集も盛んで、その影響は一九世紀後期の日本に及び、文部省の事業にもなったし、新体詩人のなかにも動きが起り、のち新民謡の作詞に繋がる。ただし、日本では農村のものは「俚謡」、中世から遊郭などで一定、洗練され、近世の都会には小唄や都都逸など「俗謡」が流行した。「民謡」の語の定着は戦後のＮＨＫ「素人のど自慢」の放送による。

学生時代に新体詩に打ち込んでいた柳田國男は、当然、この動きを知っていた。それは後のエッセイに顔を覗かせるが、一九〇〇年に農商務省農務局農政課に勤務したときには、新体詩とは別れを告げていた（後にふれる）。

それはともかく、柳田國男は、口頭伝承の国際的伝播の問題より、日本におけるその展開の固有性を強調し、「神話」は崇高な信仰にかかわるものに限定すべきといい、また「伝承文芸」は子供のためのものとして発展したわけではないことなど、高木敏雄らのグループの用語法にしばしば疑義を述べている。柳田國男が口頭伝承の内部のジャンルないしカテゴリーに神経を使ったのは、独自に立てた研究の目的と方法に意識的だったためである。

なお、柳田國男が「恩師」と呼ぶ芳賀矢一は、初めてドイツ流に「知文学」に対する「美文学」を対象とした日本文学史、『国文学史十講』(一八九九)では『今昔物語集』を『十訓集』と並べて「雑史」と呼んでいたが、『今昔物語集』の場合、事件の時と場所を特定しようとする書き方に着目したゆえだろう。だが、一八九九年にドイツに留学後、『攷証今昔物語集』(一九一三)をまとめた際、〔凡例一〕で「我が国の最古最貴の説話集」と称している。『今昔物語集』は紛れもなく、仏教者が説教に伴なって語った説話を収録したもので、芳賀矢一の考察は、その性格を強くいう。震旦(中国)篇に、道教系の話や史譚も採られているが、仏の法力の及んだところと考えられていたからである(感応説)。また『日本霊異記』のあることを知りながら、そのように称したのは、グリムの伝承集にまさるとも劣らない民間説話集として、日本の『今昔物語集』を称揚する意図があったと想われる。なお、「説話」は、古くから、ある物事について一定の内容のある説明や解釈を話すこと全般に用いられていた語。たまに「話説」とも。[1]

4『遠野物語』

先に、柳田國男は『遠野物語』(一九一〇)で、田山花袋らの「自然主義」文学に対峙したという野家啓一

1　鈴木貞美「説話という概念―文化史の再建から文芸史研究へ」倉本一宏・小峯和明・古橋信孝編『古代中世説話の形成と周縁(中近世編)』(臨川書店、二〇一九)を参照。なお、わたしがそこで『今昔物語集』の編纂を天台宗の仕事としたのは〔本朝編〕に天台系寺院にまつわる悉皆成仏思想が色濃いからである。今日、法相宗内編纂説が優勢だが、少なくとも〔本朝編〕に関しては、法相正統派とは教義が抵触しよう。『今昔物語集』全体の編纂が、より複雑な過程を辿った可能性は否定できないが。

の見解に対して、戦後日本でつくられた日本近代文学の図式に安直に依拠していると述べた。『遠野物語』は、古代ギリシャの神々がスイスの民間伝承に活きている実態を明らかにしたハインリッヒ・ハイネ『流刑の神々』(*Les Dieux en Exil*, 1853)に触発されたもの。ハイネの思想の根はロマンティシズムにあるが、多神教崇拝の痕跡をうたうのだから、中身はスピリッチュアリズムに限定してよい。

一九世紀後半の西欧に台頭した文芸における"naturalism"には、自然神の崇拝や自然愛好の意味はなく、実験医学、すなわち自然科学の実証主義に依拠する姿勢を示したエミール・ゾラのエッセイ「実験小説」(Le Roman experimental, 1880)に代表される。が、デンマークの文芸批評家、ゲーオア・ブランデスによって、ヘンリク・イプセンの戯曲『人形の家』(*Et dukkehjem*, 1879)など、ブルジョワ社会の虚偽を暴露する姿勢にまで拡張され、これをロマンティシズムに対抗する勢力と見る図式が二〇世紀への転換期に国際的に支配的になっていた。そして実際、二〇世紀初頭の日本の文壇は「自然主義」の掛け声に席巻された感がある。

だが、すでに一九世紀末の西欧では「自然主義」は衰退し、ベルギー、フランス語圏の劇作家、モーリス・メーテルランクらの神秘的象徴主義が台頭していることが、ヨハネス・フォルケルト『美学上の時事問題』(*Asthetisce Zeitfrangen*, 1895)の森鷗外訳『審美新説』(一九〇〇)によって伝えられ、実際、メーテルランクの作品の翻訳・紹介は、二〇世紀初頭から森鷗外らによって相ついでなされ、ドイツの劇作家で自然主義に属したゲアハルト・ハウプトマンが民間伝承に題材をとり、スピリッツ(精霊)が活躍する幻想的なメルヒェンに転じた『沈鐘』(*Die versunkene Glocke*, 1897)が登張竹風・泉鏡花訳で一九〇八年に春陽堂から刊行されもした。イプセンも『野鴨』(*Vildanden*, 1884)から象徴主義に転じていた。イプセン会に集っていた柳田國男も田山花袋も、それらの動きはキャッチしていたはずである。

国際的に指標にされたのは、イギリスの詩人で芸術批評家のアーサー・シモンズがパリの詩人たちとの交友を通じて書いた当代フランス文芸論、『文芸における象徴主義運動』(*The Symbolist Movement in Literature*, 1899)の序文だろう。トマス・カーライルが『衣装哲学』(*Sartor Resartus*, 1833-34)のなかで、「永遠」の観念を具象に置き換えることを「象徴」と呼んだことを承けて、抽象的観念を具象に置き換えること、その技法を意識的に用いることを文芸上の象徴主義と定義した。バラを愛の象徴とするようなレトリックは、中世ヨーロッパで盛んになったものだが、“symbol”の語源はギリシャ語で割り符を意味し、一対一対応が根本にあることも、アーサー・シモンズは明確にしている。

つまり遠野の精霊伝承を収録した『遠野物語』は、この風潮を受けたものだったのである。なお、泉鏡花は、当時、ほとんど無視されていた『遠野物語』に、いち早くエールを送った人であり、柳田國男の方は生涯、鏡花作品を愛読していたといわれる。

5 日本の象徴主義

新体詩では、一九〇一年に『ハイネの詩』を刊行した尾上柴舟が、同じ年に金子薫園とともに創刊した雑誌『叙景詩』の序文で、金子薫園は叙景即ち「象徴」をうたっている。短歌界では佐佐木信綱が藤原定家の和歌が「象徴主義に通うところがある」と評しはじめる。

田山花袋は、「自然」の語を「重衛門の最後」(一九〇二)では「自から然り」の意味で用いていたが、『蒲団』(一九〇七年一〇月)では「内部に秘めたる自然」(性欲)の意味に転じ、その翌月、「象徴主義」というエッセイを書いている。「自然主義」を標榜した作家・批評家の多くは、ほぼ同時に象徴主義にも目配りしており、それもはたらき、「自然主義」の主張も表現も内実は、まったくバラバラな、単なる符丁にすぎなかった。国木田独歩は自ら「自然主義」ではない、むしろ浪漫主義に近いといっていたし、島村抱月、岩野泡鳴が名乗ったのは「新自然主義」で、その内実は象徴主義といってよい。象徴詩から出発した岩野泡鳴は先の『審美新説』を受けて『神秘的半獣主義』(一九〇七)では「自然主義が深まると神秘に近づく」と述べている。自然の内奥に秘めたる神秘に接近するというもので、それは「普遍的生命」「宇宙の生命」(universal life)と呼び換えられてゆく。一九一〇年の大逆事件後の急務は国家の権威との対決にあると主張したことでよく知られる石川啄木「時代閉塞の現状」(一九一二、生前未発表)は、その冒頭で日本の「自然主義」は混乱したままだと看破していた。

ただし、世間は、性欲を取り上げるのが「自然主義」とレッテルを張って非難の目を向けていたため、一九〇八年に「出歯亀事件」が起こると、文壇の「自然主義」は一挙に退潮した。これは森鷗外『ヰタ・セクスアリス』(一九〇九)や永井荷風がエッセイ「厠の窓」(一九一三)で書いている。その『ヰタ・セクスアリス』も、志賀直哉『濁った頭』(一九一〇)なども、また谷崎潤一郎は「刺青」(一九一〇)をはじめ出発期から、露骨に性愛を扱っているが、彼らは「自然主義」とは呼ばれない。要するに、第二次世界大戦後の文芸批評が、「自然主義」に賛成するにせよ、批判するにせよ、それを客観的写実主義のように扱い、ロマン主義と対立させて考えた図式が、二〇世紀への転換期の日本文芸の動きを捉え損ねていたのだった。[2]

なお、恋愛の新体詩を重ねていた柳田國男が官界に出る決意を固め、親友だった田山花袋と距離を置くようになっていった理由は、花袋が國男の恋を題材にした小説を何本も書いていたためだろう。恋愛関係のもつれなど、それ以上の理由があったはず、という推測も絡めて、岡谷公二「松岡國男の恋」(一九九五)がその経緯をよくトレースしている。その論考を巻頭に置く岡谷公二『柳田國男の恋』(平凡社、二〇一二)は、柳田國男の時期による思想・信条の揺れを生涯を通して追っているが、そこでも「ロマン主義」対「自然主義」の図式を念頭においた「ロマン主義」対「実証主義」の図式が幅を利かせている。初期柳田國男の天狗に発する「山人論」への行程は、日本的スピリチュアリズムの一種で、実証主義はあくまで研究の方法である。どんな観念論的世界観もロマン主義も写実的技法を駆使するように、その二つは原理的に対立・葛藤を起さないとだけ、ここではいっておく。

後の論議とも関係するので、象徴主義の動きとほぼ無縁だった島崎藤村にふれておくと、彼は「ルウソオの『懺悔』中に見出したる自己」(一九〇九)で、ルソー『告白』(*Les Confessions*, 歿後の刊行)こそが「自然主義」、自己の醜悪への煩悶、その告白の原点と述べ、ギュスターヴ・フローベールやギィ・ド・モーパッサンはそれを受けついでいるが、「解剖」に走ったゾラは芸術的ではないと断じていた。これも混乱の一例だが、実のところ、文芸批評家、サント＝ブーヴが解剖にたとえたのは、登場人物各々の一人

2　鈴木貞美『「日本文学」の成立』(作品社、二〇〇九)、『入門 日本近現代文芸史』(平凡社新書、二〇一三)を参照。

称視点でその心理に分け入るフローベール『ボヴァリー夫人』(*Madame Bovary*, 1856)のこと。フローベールが医者の息子だったからだが、作品を作家の環境に還元する実証主義文芸批評の典型である。『ボヴァリー夫人』では、主要登場人物ごとに一人称的視点をとり、自由間接話法が駆使された。まさに小説におけるナラティヴの問題である。ここでは、田山花袋は『生』(一九〇八)で、『ボヴァリー夫人』を真似て、視点人物を目まぐるしく変える手法を試みていたことを指摘するにとどめ、フローベールのナラティヴについては、のちに考えてみたい。

そして、一人称的視点の議論とも関係するので、ここで紹介しておくが、石川啄木「時代閉塞の現状」は、岩野泡鳴『放浪』(一九一〇)に説かれた「霊肉一致の全我活動」なるものは「其理論と表象の方法が新しくなった外に、嘗て本能満足主義といふ名の下に考量されたものと何(ど)れだけ違っているだろうか」と疑問を投げている。石川啄木はフランス象徴詩に学んで詩人として活躍していたころの岩野泡鳴に親炙していたので、その行程をよく知っており、この言も、ある意味であたっている。

岩野泡鳴の「新自然主義」は、先にふれたが、普遍的生命の理念を具体化して示す生命主義的象徴主義といってよい(のち、岩野は東京帝大法学教授の筧克彦がその理念を天皇制と結びつけて説いたことに対しては、制度を拒否する姿勢を露わにしたが、次第に「民族の生命」の理念に傾斜してゆく)。その方法に立って、彼自身の実体験を投げ出すように語る長篇五部作の文体は、語り手(=主人公)の熱情を醸しだす。その一つ、『断橋』(一九一一)には、主人公の「刹那主義、現在主義、生々主義」を、やや突き放して説明している条がある。「刹那の生気を全身に感じて来ると、智、情、意の区別ある取り扱いが行はれなくなってしまって」「手足の神経と腹の神経とあたまの神経とが、一致して、兎角空理に安んじ易い思索を具体化し、自己という物を盲動現実力の幻影にする。その幻影が義雄の生命だ」と（この「生命」は本性の意味）。

岩野泡鳴は、この一人称視点に徹するナラティヴをのち自ら「一元描写」と呼んで、それが世界の小説の方向と予言した。のち、田山花袋は『東京の三十年』（一九一七）で「少々窮屈だが、あれが本当」といい、象徴主義にも通じていた批評家、河上徹太郎は「岩野泡鳴」（一九三四）で「明治文学史を通じて偉大な小説は沢山あった。然し偉大な小説家は岩野泡鳴ただ一人」と評したほどである。実際、二〇世紀前半にジェイムズ・ジョイス、マルセル・プルースト、ウィリアム・フォークナー、ヴァージニア・ウルフ、エルンスト・ブロッホらが一人称視点による「意識の流れ」（stream of consciousness）、いわゆる内的独白（monologue intrérieur）の手法をとり、それが国際的に主流になったことは、今日、歴然としていよう。[3] のちに一人称視点による小説のナラティヴの意味を考える。

これらはすべて、柳田國男が新体詩を離れ、口承文芸に向かうまでに日本の文芸界に起った出来事であり、かつ作者を発信源とする書かれた文芸についての話である。

6 ベンヤミンの「物語作者」

ここで、野家啓一が『物語の哲学』第1章で、そこから一節を引いたベンヤミンのエッセイ「物語作

3 鈴木貞美『「日本文学」の成立』（前掲書）、『入門 日本近現代文芸史』（前掲書）など参照。

者」(Der Erzähler-Betrachitungen zum Werk Nicolai Lesskows) を紹介しておきたい。それは、一九世紀後半にロシアで活躍した小説家、ニコライ・レスコフの、とくに後期作品群の際立った特徴を「物語」と見て、その魅力を掘り起してゆくものである。そこでは印刷術とともに展開しはじめた長篇小説（ロマン）が隆盛することによって衰亡した「物語」の魅力を、同じゲシヒテ(Geschichte)という語から出た「歴史」との類似性において語っているところもある。[4] 柳田國男が「昔話」に与えた価値と比較し、相対化するためにも意味をもつだろう。

ベンヤミンの「物語作者」は、長篇小説の際立った特徴として、他の散文形式、メールヒェン(寓話)、ザーグ(伝説)、ノヴェレ(短篇小説)とは異なり、口頭伝承から成り立つものでなく、また、伝承のなかへ流れ込んでゆくものではないとする。ミゲル・デ・セルバンテスの『ドン・キホーテ』(*Don Quijote*, 前篇1605, 後篇1614)をその嚆矢としてあげ、ゲーテのビルディングス・ロマンも同類としている。周辺のエッセイで、近代小説では、一九世紀フランスのギュスターヴ・フローベールの『感情教育』(*L'Éducation sentimentale*, 1869)にふれている。別の文脈ではドストエフスキーの作品があがることもある。

それに対して、ベンヤミンがここでいう「物語」は、経験の語りであり、伝達において経験が交換されるとする。したがって、その経験は伝聞されたものでもよい。定住する農民のあいだのそれも、よその土地から訪れる船乗りなどによってもたらされるそれも、タイプがちがうだけで、経験の語りであることにかわりはない。そして口承され、伝達される経験が、物語作者が汲みつづけた源泉である。

---

4 浅井謙二郎編訳『ベンヤミン・コレクション2 エッセイの思想』ちくま学芸文庫、一九九六、p.283-334を参照。

したがって「物語」の衰弱は、すなわち、経験の価値の下落を意味する。それは情報を伝達する新聞が「高度資本主義下の最も重要な支配の道具の一つ」として隆盛したことによってもたらされたとする。

その情報に対置されるのは、説明抜きの出来事そのものであり、それを語るのが「真の物語」であるといい、ヘロドトス『歴史』(*Historiai*, BC5C.)から一挿話を引いて例証している。そこでは出来事が起こった理由は語られない。したがって、それは、さまざまな解釈を呼び起こすが、出来事そのものが記憶に強く焼きつけられ、聞き手の経験に同化し、聞き手がその語り手になる。

そのような「物語」は、叙事文学であり、「創造の零点」である。その叙事文学すなわち歴史叙述のなかで、無垢の出来事が、解釈抜きに、それとして記されるのは年代記である。出来事の想起と死とのかかわり、また想起と追想の関係のことなどについて述べたところは、トレースしない。

ベンヤミンは「物語作者」では、長篇小説の読者は「孤独」だといっている(第XV章)。それは長篇小説に没頭する読者の像だった。だが、別のエッセイ「長篇小説の危機―デーブリーン『ベルリン・アレクサンダー広場』について」(Krisis des Romans - zur Döblins 〉Berlin Alexanderplatz〈, 1930)では、長篇作家の孤独と沈黙をいっており、そのあいだの相互性を措定する限り、ベンヤミンの近代批判の論脈をとらえる上では問題は生じない。[5]

5 その背景には、ベンヤミンの大衆文化論がある。彼はエッセイ「セントラルパーク」(Zentralpark, 1938-39)で、ボードレールはポンシフ(様式の一様性、紋切り型)を提出したというが、それは公開市場の成立により大量生産品がつくられる事態と対応しているとし、そこでは娼婦も大量生産品として現れるとし(これらの根柢では、カール・マルクスが同一工場における労働者の一様性、すなわち労働力商品として立ち現れると論じていることから示唆を受けている)。また「ボードレーその長篇の読者が「生の意味」を求めるのに対して、民衆（Volk、村人たち）は、物語には「お話の教訓」を求めるとし、商業の発達を背景に、そうした読者をひきつける策術として『アラビアンナイト』のようなメールヒェンが発展したといい、「最初の真の物語作者はメールヒェンの作者であった」という。メールヒェンは、神話（ミュトス）の暴力的支配に対して、策略と大胆さで立ち向かい、人間を解放する知恵を授けてくれるという。そもそも『アラビアンナイト』の語り手、シェヘラザードは、寓話を絶対権力者に語り続けることで一夜一夜、命を長らえたというわけだ。

ニコライ・レスコフは、ロシア東方カトリック教会（ローマ教皇庁と一体化した帰一教会）の信仰の人である。彼のメールヒェンは神話から逸れている。が、彼は神が正義の人として認める「義人」のイメージで語られる。そして物語作者の営みを手仕事にたとえ、自分の「経験という生の素材を一回限り加工」し、「自分の生の全体性」を開示すると述べて、結論としている。ロバート・ルイス・スティーヴンソン（『新アラビアンナイト』〔*New Arabian Nights*〕のシリーズや南洋の多神教の神話を寓話のように仕立てた作品群が念頭にあろう）もエドガー・アラン・ポーも同様な位置にあると言いそえて、「物語作者とは義人が自らに出会うときの姿なのである」と結んでいる。

ルにおけるいくつかのモティーフについて」（Über einige Motive bei Basudelaire, 1939）では、大都市の「群衆」（Menge）にかかわる際のボードレールのイメージや感情がエドガー・アラン・ポーやフリードリッヒ・エンゲルスが感じているのと同様の非人間的な不条理な一様性に対して、憎悪を交えていると述べる。その際、「群衆」と「大衆」（Masse）とを同義のものとして混在させている。先端文化都市パリにおいて生じるものとしている限り、問題は生じない。二〇世紀前半の政治の動きを規定するに至った全国的な大衆社会化の先駆けである。

ベンヤミンが人間による「物語」の創造の零点にあるとする、説明抜きで語られる出来事は、多くの人の記憶に焼き付けられる。が、後代に、さまざまな解釈を呼び起すのは、それが不可解なものだからだ。そうした出来事が出現するのは、何らかの神の営みによるものとベンヤミンは想定しているのではないかと、わたしには感じられる。だが、他方、神話は人間を支配するものとされている。創造神の神話は、その役割において退けられており、強いていうなら、出来事は、アリストテレスのいう万物の運動の根本原因、不動の動者に似て、世界全体を運行させる神の仕業とされているらしい。しばしばいわれるベンヤミンの神秘主義が、ここではそのようにはたらいており、そうであればこそ、説明抜きで語られることによって、出来事が人を引きつけるとされているのではないか。このトートロジックな論理により、自らの経験を寓話化することで、個人の生の全体的意味も示されるとされているのではないか。そうでなければ、レスコフとスティーヴンソンやポーの類縁性も語れないだろう。そして、物語作家に義人のイメージが与えられていることも含めて、ベンヤミンのユダヤ神秘主義への接近は、多神教のメールヒェンに開かれていたともいえよう。

のちの議論とも関係するので、ここで、メールヒェンの語意について見ておきたい。グリム兄弟の『童話集』(*Kinder- und Hausmärchen* vol.1, 1812, vol.2, 1857)もメールヒェンである。「子供と家庭向けのメールヒェン」の意味だ(今日では、実母の子供に対する虐待は継母のそれに換えられるなど教育的配慮から改作されていることが明らかにされている)。初刊と完成版のあいだには、『ドイツ伝説集』(*Deutsche Sagen*, 1816-1818)をはさんでいた。兄のヤーコプ・グリムは『ドイツ神話学』(*Deutsche Mythologie*, 1835)も残した(彼の言語学上の業績には言及しない）。

『*Grimms' Märchen*』は、英語では『*Grimms'* Fairy Tales』が一般的だが、「妖精物語」と呼ぶのは、子供向けを意識したものだろう。日本では「お伽話」が該当するが、メールヒェンはドイツ語の語源では「噂話」「小咄」があたるようだ。

先にベンヤミンの著作中のメールヒェンに「寓話」をあてておいた。イソップやアラビアンナイトは「寓話」(fable)と総称される。それらがもつ民衆に狡知を授ける教訓の面を抜かしたら、ベンヤミンの議論、とりわけ「義人」のイメージはなり立たないだろう。

フランスのシャルル・ペローによる『*Histoires ou contes du temps passé, avec des moralités : Contes de ma mère l'Oye*』(1697)は「教訓つきの昔の物語もしくは小咄、がちょうおばさんの小咄集」というほどの意味だが、『寓意のある昔話、またはコント集—がちょうおばさんの話』と訳されている。韻文で記され、すべてに教訓が付してある。貴族の婦人向けにフランス語で記されたもので、子供たちへの読み聞かせのためと推測される。その多くがユグノーの移民によってドイツに持ち込まれたため、グリムのメールヒェンにも収録されている。その韻文の『がちょうおばさんの話』がイギリスに伝わり、一八世紀半ば『マザー・グース』(*Mother Goose*)が刊行された。こちらは歌謡集で、ことば遊びやナンセンスが着目されているが、小咄（コント）や「寓話」も、材量になる出来事は、理由も意味もない不可思議なナンセンス味のあるものが多い。不条理で不可解ゆえに、それらに寓意的な意味がそえられ、そえたものが広く民間に伝承されると考えてよい。

ベンヤミンは、「物語」で語られる出来事そのものが聞く人の関心を惹くというが、その出来事は、不条理で不可解に感じられるものほど人を惹きつける力をもっていると考えてよい。それゆえ、いつまでも地域を超えて伝承され、いくつもの解釈が重ねられもする。が、一つの解釈が他を圧倒してしまえば、その魅力は失せる。「歴史」も、その点で似ている。柳田國男のいう「昔話」も、同じではないか。[6]

贅言を承知でいえば、現代のドキュメンタリーは、出来事性が表立てられているようでありながら、いつ、どこで、誰が、どうしたに、「なぜ」が報告者によって添えられている。つまり、出来事の原因を解釈する「歴史」ではなく、その寓意を読み取るのが「物語」や「昔話」ということになろう。どうやら、われわれの課題は、解釈と寓意のあいだに浮かんでいるらしい。

6　日本の現代作家では、井伏鱒二のとくに前期の作風が近い読み味を持っているようだ。農村や市井の人々が見舞われる出来事の不条理性、それを「非情」なまでに突き放して書くところに、いわゆる「たくらまざるユーモア」が生まれる。そういう非条理に翻弄される人々に慈愛の念も生まれる。鈴木貞美「非情の完成―『山椒魚』の改稿をめぐって」（一九八六）など参照されたい。それとは別のことだが、ヨーロッパでは二〇世紀に入り、ロマン・ロラン『ジャン・クリストフ』(*Jean Christophe*, 1904) など歴史の流れに沿って展開する大河小説 (roman fluve) が盛んになる。日本の場合、江戸時代から中国の通俗性の強い白話小説類を受容して、式亭三馬『浮世風呂』（一八〇九-一三）の滑稽本、曲亭馬琴『南総里見八犬伝』（一八一四-四二刊）などの読本（伝奇的長篇）、為永春水の『春色梅児誉美』（一八三二-三三）など人情本など小説類が人気を博していた。そのなかで、式亭三馬の作風は、風俗の見聞記（ドキュメンタリー）であり、その戯作は出来事の編集である。その意味では、イギリスの作家、チャールズ・ディケンズが街頭風景をスケッチした作風で出発したことも想い浮かぶ。二〇世紀では、一九二〇年代に総合雑誌や婦人雑誌、文芸雑誌、また同人雑誌の刊行がさかんになり、コントや短篇連作も流行、むしろ一九三〇年代に長篇待望論が出る。作者と読者の関係も、時代と文化状況の相違を考えてみなくてはなるまい。

7　ジャック・デリダの「話者の死」論

野家啓一『物語の哲学』第1章は、ジャック・デリダやロラン・バルトら二〇世紀後期のフランス人文学におけるポスト・モダンと呼ばれる動きと柳田國男の口承文芸論の共通性を引き出していたが、そこでは、エドムント・フッサールが客観的真理は幾何学といえども、国語を媒介にすることによって成立すること、その国語（文字）による客観的真理の同一性を担う知識人によって社会が指導されてきたことを述べた最晩年の遺稿「幾何学の起源」を紹介し、キリスト教のドグマによる真理に換えて、共同主観的な客観的真理を確立した議論であり、かつ、それは言語による解釈学への契機をはらむものと述べる。それは、フッサールの「幾何学の起源」に序論を付けて翻訳刊行したジャック・デリダにとっては、いわば彼の立脚地となったものである（Introduction et traduction *à L'origine de la géométrie*, 1962）。

そして、野家はそれをデリダが西欧における論理中心主義（ロゴ・セントリスム）が音声言語に立つことを批判した「話者の死」論に導き、ロラン・バルトによる「作家の死」論に橋をかけて行く。その展開を、先にわたしは論理操作のアクロバティックな戯れと評した。ポスト・モダン論議のなかで論理の「戯れ」は一つのキー・ワードだったから、野家は、それは承知の上というかもしれない。だが、少し踏み込んでおきたい。まずはフッサールの「幾何学の起源」をめぐるジャック・デリダの論について。

フッサールの「幾何学の起源」は、かつてラテン語共同体において、万人の学といわれた数学（幾何学）が各国語において「真理」と認められていることを指摘したものだが、それは非識字層のことなど考慮に入っていない。だが、野家啓一は、ジャック・デリダがジャン＝ジャック・ルソーが音声言語によるパトス（情念）の表現を重んじ、文字言語の優位性を切り捨てたこととヨーロッパ文明圏の論理中心主義（ロゴセントリスム）を結びつけ、それに対するデリダの批判をやや読み換え、デリダが「話者の特権性」の解体を目指したという。それを野家はデリダの「話者の死」論と呼ぶが、その読み換えには、デリダの別の論考「署名・出来事・コンテクスト」（『有限責任会社』*Limited Inc.* 1990所収）を参照している。そこでは音声言語と文字言語の決定的差異を聞き手の有無に求め、発信者の意図に特権的な位置をあたえる近代的言語思想に対して、文字言語のはたらきは、その受信者と発信者の有無を超えて存続すると結論している。

ジャック・デリダが、音声言語と文字言語の決定的差異を聞き手の有無に求めたところに、野家がベンヤミンのいう小説家の孤独を響かせていることは了解できるが、文字言語のはたらきは、その発信者と受信者の有無を超えて存続するということをいっても、発信者の意図に特権的な位置を与える思想自体は揺るがない。遺言書の例を引くまでもなく、それもまた自明なことであろう。

いや、少しちがう。遺言書の場合、受信者がいなくては、遺言は執行されない。遺言するものが非識字者であるなら、それを識字者が聞きとり、書きとられなければ遺言書は成立しない。だが、それを実際に誰が書こうが、本人のサインさえあれば、それは発信者の意志の表明とされる。本人が、サインができなければ、確かに本人の意志によるものと法律的に確定できる身分の者のサインが必要になる。したがって、これは、必ずしも言語が音声によるか、本人によって記述されたものかは問われない。ここで問題になることがあるとすれば、リテラシーの有無が国際的に自分の署名ができるかどうかが指標とされてきたことだけだろう。

その際、野家は、ジャン＝ジャック・ルソーが音声言語によるパトス（情念）の表現を重んじたことを「『内面』の獲得」といい、内面の吐露の例として、ルソーの『告白録』をあげ、また西欧における近代小説の出発点のようにして書簡体小説を挙げている。つまり、「『内面』の獲得」と小説の作家に特権的な地位を与えることを結びつけている。だが、いったい「『内面』の獲得」とは何をいうのだろうか。心の内を述懐する詩など、洋の東西を問わず、古代からある。教会で信者が神父や牧師に声によって告白する悪しき心は、「内面」ではないのだろうか。ルソーは、それを社会的に行うにあたって、声にはよらずに、いわば遺言として書き残したのだった。ただし、ルソー『告白』第1巻の刊行（一八八二）に先立ち、フランスでは、レティフ・ド・ラ・ブルトンヌが自分の不行跡をその内面とともに露悪的に書いた『堕落した田舎者、あるいは人生の危険』(*Le Paysan perverti ou les Danger de la vie*, 1779) でデビューしていた。そして、そののち自分を含めて「ヴェールをとった人間の心」を書く作風で流行作家の道を歩んでいった。

一八世紀には書簡体小説が西欧で国際的に書きはじめられたが、ヨハン・ヴォルフガング・フォン・ゲーテの『若きウェルテルの悩み』(*Die Leiden des jungen Werthers*, 1774) を指標にとるなら、野家啓一のいいたいことは、ほぼ了解できるだろう。なぜなら、ゲーテが書簡体を必要としたのは、神の教えより自分の感情を重んじる新しい「内面」をもつ青年の登場を告げるためだったからだ。絶対的超越神から授けられた命を自ら断ってはならないというキリスト教の教えに従わず、失恋して自殺を遂げた青年の内面をリアルに造形しているからである。それはゲーテその人の失恋の経験をもとにしており、「私小説」（イッヒ・ロマン）の嚆矢といってよい。だが、ゲーテは自殺せずに『ウェルテル』を書いたのであれば、ごく単純な意味で、それはフィクションである。ただし、厳密にいえば、作家はウェルテルの独白だけで、その具体像をつくりあげられなかった。その後半には、ウェルテルの書簡を編集する者が登場し、第三者の立場からコメントを付しているからである。『ウェルテル』のナラティヴの根幹にかかわることなので、その点を明らかにしておく。

８　国語の問題

ところで、ジャック・デリダがヨーロッパ近代における「音声言語の論理実証主義」の代表者としてあげるルソーが『社会契約論』(*Du Contrat Social ou Principes du droit politique*, 1762)で、近代国家の土台として「一般意思」なるものを想定したとき、それは非識字者のそれをベースにしたものだった。いや、精確には、それは識字者・非識字者の差異を超えたものだった。

『社会契約論』が刊行された一八世紀中期のフランスの識字率は、地方と性別の差異を無視して平均して35％と概算されている。[7] 繰り返すが、その場合の識字者とは自分の名前のサインができるかどうかが指標にされているので、実際に文字を自由に読み書きできる能力を意味しない。むろん、それは

7　ロルフ・エンゲルジング『文盲と読書の社会史』(*Analphabetentum und Lektüre : zur Sozialgeschichte des Lesens in Deutschland zwischen feudaler und industrieller Gesellschaft*, 1973) 中川勇治訳、思索社、一九八五、一一九頁を参照。一八世紀後期でも37％。なお、欧米ではほとんどの場合、署名ができるかどうかが識字者の指標にされる。

知識層が国際共通語として用いてきたラテン語ではなく、フランス語のそれである。ラテン語が長く培われてきた修辞に鎧われているのに対して、フランス語は民衆の話し言葉であり、互いの意志を伝えることのできる「透明な」伝達手段と考えられていた。

「文は人なり」という格言は、ルソー『社会契約論』に一〇年ほど先立つ一七五三年、植物学者として知られるジョルジュ・ルイ・ビュフォンがフランス科学アカデミーの入会演説をフランス語で行った『文体論』(*Discours sur le style*)に発している。その趣旨は、「文章(phrase)のすぐれた著作だけが後世に残る、なぜなら、知識や事実や発見は他者によって、どうにでも扱われるが、文体(style)は、その人間そのもの」だからというもの。それは個性的な文体を意味していた。ビュフォンのように自由にラテン語を書くことのできる大学者にとっても、ラテン語は自由に喋ることの出来ない文字言語と意識されており、話者も著者も自国語においては、聞き手にも読み手にも、その生きた人格が伝えられると考えられていたのである。言い換えると、このとき、自己内面を自由に表現できるのは自国語(national language)によると立言されたことになる。それは喋っても書いても変わらないことが前提にされていた。

標準語による普通教育がいきわたって以降も、地方と社会の両方言の問題も、誤解や曲解も残りつづけることはいうまでもないが、彼らにとっては、それよりも、それ以前の文字言語と音声言語とのあいだにあった大きな懸崖が問題だった。それはラテン語の煩瑣なレトリックの習得にかかわることだったのである。

著作においては「話者は死んでいる」というときのジャック・デリダは、音声言語と文字言語のあいだの差異にかかわる古くからの問題を取り扱おうとしているが、彼がルソーの考えを典型にあげて、ヨーロッパ近代における「音声言語の論理実証主義」を鋭く突き出したとき、それは実際のところでは、直接は、国語にかかわる問題だったのである。それには自身表明しているように、彼のユダヤ意識が強くかかわるはずである（それは小説の作者は孤立しているというときのベンヤミンも同じだが、ベンヤミンの場合、彼のユダヤ民族意識と彼の言語観の関連については、私は詳らかでない）。

このラテン語と各国語のあいだの問題を考慮せず、音声言語と文字言語とのあいだの問題が議論される場合には、アルファベットの類を用いる言語においても、ほとんどは語彙が発音どおりに表記されないこと、すなわち「シニフィアン＝シニフィエ」の記号の体系の習得にかかわる問題になる。言語が「シニフィアン＝シニフィエ」の記号の体系であることは、古代ギリシャ・ローマ時代から論じられてきたことである。ギリシャ語・ラテン語の長い歴史において、語彙の含意は分岐し、その体系も、そして文法も組み換えられてきたから、その習得には困難が伴う。言い換えると、それは、本来、音声言語と文字言語とのあいだの問題ではなく、言語が記号であることに伴う問題である。

ただし、記号の運用法、正則とされる文法や高級とされるレトリックは、主に社会規範に縛られた上流層や知識層の社交の場における会話や書く文章にかかわる。社交の場における会話の場合、正則とされる文法を外れがちな人は、品が悪いと見なされる。見なされる程度ですむ場合もあろうが、書く文章の場合は正則を外れれば、誤りとされる。

どれほど標準語教育が普及しても、街角で庶民が交わす会話は、いつでもどこでも地方方言や社会方言でなされ、すなわち「砕けた」表現が飛び交い、教科書に記された文法など守ってはいない。平民意識が強ければ、その方がフレンドリイとされ、日常会話で教科書の規範どおりは堅苦しく、上品を気取りすぎと言われかねない。だが、正則の習得の場である学校の授業時間は、そうではない。したがって庶民階層出身者ほど、努力が要請され、努力が足りなければ、成績に響く。そこで、時と場合に応じて、丁寧に話すこともできれば、砕けられもする能力を養うのが望ましいとされることになる。このことは、むろん、教科書には書かれていない。

そして、このことは、逆の例を考えれば、よくわかるだろう。一六世紀後期に初めてフランス語で人文主義の著作『エセー』(*Essais*, 初版二巻本1582)を著したことで知られるミシェル・ド・モンテーニュは、幼いときから日常会話もラテン語で育てられた。貿易商だった父親が国際人に育てたかったからだろう。フランス語は習得していなかったから、学校に入ると仲間外れにされがちだった。それゆえ、フランス語の習得にはげんだが、彼の孤独の感情と観念も、また彼が初めてフランス語の著作を遺したことも、あるいは彼の人文主義も、そのことに由来しよう。ちなみに、キリスト教の聖書が初めてフランス語に翻訳され、印刷されたのは一五三〇年のこと。改訂が重ねられ、そののち、長く標準とされた『ポール・ロワイヤル聖書』(*Bible de Port-Royal*)が完成したのは一六九五年のことである。

ジャック・デリダは『グラマトロジーについて』(*De la grammatologie*, 1967)で、漢字は象形文字、意味が剥き出しになっている記号のように勘違いしていた。[8] それも西欧語の「シニフィアン＝シニフィエ」の

8 鈴木貞美『歴史と生命—西田幾多郎の苦闘』(作品社、二〇二〇) 序章注1を参照されたい。

記号の体系にこだわるあまりのことだろう。

漢字に象形文字の痕跡が明確に残るのはごく一部で、会意文字もあり、その圧倒的多数は形声文字である（会意と形成は重複）。時代によって音韻や文法が変化したことも他の言語と変わらない。一字が一語の役割を果たす点がアルファベット類を用いる言語とちがうだけだが、それによって意味の分節化が進んで圧倒的に文字数が多く、習得の困難さもそれに比例する。

ただし、ここで、もう一つだけ付け加えておくと、中国には漢代から「書」にこそ、人の心が現れるという格言があった。人の心とは、人格であり、個性を意味する。むろん、それは識字層に限ったことであり、かつ、電脳によるワードプロセッサーが普及した今日では古典的意識になっていようが。

西欧では、よく知られているように、一五世紀からヨハネス・グーテンベルクの活版技術の普及により、次第に各国語（national language）の識字層を育てていった。ベネディクト・アンダーソンは『想像の共同体：ナショナリズムの起源と流行』（*Imagined Communities: Reflections on the Origin and Spread of Nationalism*, 1983, 2nd edition, 1991, Revised edition, 2006）で、それをもって国民国家という幻想の共同体が成立したと論じたが、それは国民国家成立の必要条件を述べたにすぎず、いわゆる市民革命の契機はイギリス、アメリカ、フランスでそれぞれ異なる。イタリアでは独立革命運動が続いた。ドイツ諸邦の統一（一八七一年）の契機は、一九世紀初めになされたナポレオン軍による占領への反撥によるところが大きいが、各地に地方色の強い文化が根強く残っていた。

先にふれたが、西欧で知識層が自国語で書いた書物としては、先にふれたミシェル・ド・モンテーニュの『エセー』が一六世紀後期、イギリスでシェイクスピアの戯曲の最初の出版は『タイタス・アンドロニカス』(*The Most Lamentable Romaine Tragedie of Titus Andronicus*, 1594)とされ、民間に自国語の読み物が出まわりはじめるのは、早く見ても一七世紀に入ってからである。まだまだ綴りは不安定だった。知識層が国際共通語として用いていたラテン語に換えて、自国語に切り替えてゆくのは、一八世紀中期のこと。イギリスで普通教育が行われるのは一九世紀後期、それに伴い、知識層が用いる英語も格段に平易になった。フランスで義務教育が実施されるのは二〇世紀への転換期である。ただし、どの国でも、ふつう自国語を「国語」(national language)とは呼ばない。

ヨーロッパに比して、東アジアでは古代から、中国語が西欧におけるラテン語に相当する役割を果たしたといってよいが、中国では早くから木版印刷が発達、とくに宋代には識字層が厚くなり、経書の解説などを中心に民間に出版物が出まわり、とくに南宋時代、一二世紀には民間説話の採録本も出まわりはじめた。日本においては古代から知識層に漢文とともに自国語の読み書きが発展し、中世に禅宗の五山から木版が盛んになり、一四世紀中ごろには民間の説話など各種の読み物が流通しはじめていた。ただし、中国と日本ではリテラシーの状況がまったくちがっていた。それぞれの古代から第二次世界大戦後までの国家体制と言語文化の変遷の概略を紹介しておく。

中国の場合、西暦紀元前四~三世紀に戦国七雄が覇を競っていた時代、諸国によって文字に違いがあったが、国家を統一した秦の始皇帝が、周代の地方分権(封建)を改め、中央集権(郡県)とし、文字の統一をはかり、公式の字体も篆書と呼ばれる五種の古代文字の中の一つ「小篆」に定めた。むろん公文書で全土を治めるためで、上級官吏にはその習得が必須となった。以降、中国語の文体にも字体にも変遷はあるが、漢代の武帝のとき、武帝は道教を奉じていたが、皇帝の信仰とかかわりなく、公文書の作成・管理が儒家の仕事に定められ、それが士大夫（知識層）に踏襲されてゆく。官僚の選抜は貴族層から統一試験（科挙）によって行われ、ごく短期間の例外を除いて、ほぼ儒学によってなされた。唐代には、項目別に文章規範を編集する類書が編まれ（『芸文類聚』）以降、踏襲されてゆく。駢文（四六文）による艶本的伝奇『遊仙窟』も刊行された（中国では散逸）。百官に対して百姓と呼ばれる人民は、農・工・商の職分によって分けられ、ほとんどが非識字者で、農民は土地に固着するため、方言は細分化されていた。

唐の滅亡後、一〇世紀前中期（五代十国時代）の戦乱を通じて貴族層が衰退し、宋代には富裕層が知識層を形成し、官僚の基盤となるが、民間に経典類に注や解説（疏）を付した書や民間説話を採録した書物が流通し、演芸も盛んになり、講談の「三国志語り」ものち、白話小説として流通した（明代に『三国志演義』）。民間の識字層には、喋れなくとも、読んで理解できる共通語的な文体が形成されはじめたと見てよい。

元代は全土が蒙古系の支配のもとに下り、科挙は中断されたが、途中から復活し、朱子学（北宋時代に起った新儒学を南宋時代に道徳中心に朱熹が集大成）が採用され、元末には武挙も始まった。全土が漢民族の手に復した明代には、朱子学が実質的に国教化され、富裕層に浸透し、識字率は向上したが、半面、朱子学は科挙のための学問になり、半面、儀礼化した。長篇の白話小説も編まれた（『西遊記』

『水滸伝』『金瓶梅』)。

そののち、一七〜一九世紀、満州族が支配した清代には、イエズス会宣教師を通じて、西洋の天文学など科学、文物も流入し、伝統的な本草学が精密になり、医学に経験主義の傾向が強くなった(古医方)。列強の蚕食を受けながら、清が滅んだのちの中華民国では、外国の影響から思想の近代化が進み、一九一〇年代後半に、民間に小説を中心に口語体の文章を書く「文学革命」が起こった。が、国民の非識字率が大幅に向上するのは、第二次世界大戦後、中国共産党の指導下に一九五五年、北京官話を標準化した普通話教育の普及が図られたのちのことになる。漢字(繁体字)を簡略化した簡化字(簡体字)が採用された。いま、台湾にはふれない。

日本の場合、五世紀頃に中央政権を握ったヤマト朝廷は、中国や朝鮮半島から流入した各地の方言(呉音)を交えた漢文によって支えられており、朝廷は遣隋使、遣唐使を派遣して中国政権に朝貢をつづけたが、軍事的服属関係(冊封関係の一つ)は脱していたと見てよい。七世紀中期、天智朝には地方豪族の勢力を殺ぎながら、中央集権体制を固め、後期の天武朝は神道・儒学・仏教・陰陽道(道教を基盤とする『易』による暦法や呪法の体系)を併存させる体制を築いた。これらが互いに反発と習合を重ねながら併存する体制が江戸時代末(一九世紀中期)まで続くことになる。他方、早くから自国語の表記に漢字音と字義とを適宜組み合わせる「仮名」の表記法(万葉仮名)も開発されていた。奈良時代には仏教勢力が拡大し、末期には漢詩集『懐風藻』(七五一年撰)も編まれた。

八世紀末に都を京都に移した桓武朝は、前代から続く東北地方に住む蝦夷の叛乱を平定し、以降、朝廷は版図を本州全域に拡げてゆく。また漢音による儒学中心の政策を進めて、嵯峨天皇期には漢詩文の全盛期を迎えた。仏教経典を日本語順で読み下すために、助辞に漢字の一部を一音一字で用いることに発するカタカナも整えられ、漢語の一部をヤマトコトバに翻訳する書法や漢文書き下し文に用いられるようになってゆく。

九世紀後期の宇多天皇期に朝廷体制の再編が図られ、後宮と文化官僚層に和歌復興の機運が起り、一〇世紀初頭に編まれた『古今和歌集』は、真名序と仮名序を兼備し、紀貫之による仮名序は、『詩経』序文などを下敷きに、対句を多用しながら、男性官僚層の話し言葉とは異なる、漢語を極端に減らした平仮名による和文体をつくり出した。これが後宮文化を支え、歌を焦点に諸断片を重ねる『伊勢物語』など歌物語、また日並みで繋ぐ『土佐日記』や種々の回想記（『かげろふ日記』『更級日記』『和泉式部日記』等、南北朝時代の『竹むきが記』まで、のち一九三〇年代に「日記文学」と一括）や架空の物語（『竹取物語』『うつほ物語』『源氏物語』などの「つくり物語」）を綴る文体のもとになった。[9]

後宮文化は、朝廷行事の記録（有職故実）の管理を掌握した藤原北家が天皇の外戚の地位を得て実権を握る摂関政治期に盛んになるが、摂関家は「大学」など官僚養成機関を氏族が運営するしくみにしたため、漢文の読み方は御家流となり、史官を養成する国家機構も崩れて、『日本書紀』にはじまる漢文の国史は六つで途絶えた。のち男性貴族層によって編まれた歴史叙述の書物（「四鏡」）は、漢語を多用

9　和語（ヤマトことば）によるという意味で「和文体」でよい。最も近いのは、女房の口語で、社会方言である。古代における「言文一致」体のように扱うことはできない。

し、架空の人物たちの会話による批評を挟むなど物語体をとる。このようにして中世には、『方丈記』をはじめとして漢文及び和歌のレトリックを混合して用いる和漢混交文が盛んになり、『平家物語』『太平記』などの戦語り、『宇治拾遺物語』などの平易な説話集も、その流れにある。

一二世紀後期に武士勢力による鎌倉幕府が成立すると日本列島の版図は朝廷権力と二分され、一世紀ほどは武家の北条政権下に統一されたものの、朝廷が京都と吉野の二つに分かれる南北朝時代など統一と分裂を繰り返し、一五世紀から二世紀弱、「戦国時代」すなわち小権力による国家分裂時代に入る。その反面、武家のあいだには能や茶、連歌の趣味が流行し、民間には座頭や瞽女(ごぜ)が芸能を運び、全国の文化の多層的均一化が進んだ。勢力を拡大した禅宗が中国から運んだ木版技術で、仏教経典をはじめ、儒学の漢籍(外典)、また商人層も平易な説話の集成「お伽草子」などを手掛け、出版文化が開花した。イエズス会宣教師によって活版がもたらされたのちも、経済効率のよい木版が発達しつづける。

天下統一を目指した織田信長政権は法令を初めて日本語(コト止め、べからず止め)に切り替え、一七世紀に徳川幕府が中央権力を握って、諸国(藩)の経営を諸大名に委託する二重権力体制が築かれると、農工商の指導層には読み書きが必須となってゆく。民間の読み書きの学習は、武士による書院、僧侶による寺子屋により、また都市に儒学の私塾が開かれもするが、江戸時代を通じて自発性に任されていたため、統一性に欠ける。幕府はオランダと中国との貿易を独占した(鎖国)が、清代中国から文物が流入し、民間には各種の仮名草子が溢れ、とりわけ元禄期には、浄瑠璃、歌舞伎、戯作小説、俳諧など、中国より多彩な文芸が盛んになった。対話で成り立つ狂言の台本や笑話は地の文まで庶民の話し言葉で記され、それが講義書などに混入することも珍しくない。

八代将軍、徳川吉宗はキリスト教関係を除くオランダの書籍を解禁し、医学を中心に蘭学が展開した。一八世紀の享保の改革の後半期から農村の生産力があがり、諸藩が殖産興業に取り組みはじめて、全国に商品流通網がつくられ、都市の町人層の文化が爛熟期を迎え、農村富裕層には余暇に和歌を嗜むようなグループも形成されてゆく。喋ることはできなくとも、読めばわかる共通語が形成され、識字率は国際的に稀なほど高かったと推測される。さらに一八世紀末には朱子学復興の機運を受けて、農民の子弟のあいだにも四書を平仮名で読む学習熱が興った。こうして江戸時代を通じて漢文と、漢文書き下し文、和漢混交文、和文（平安時代の擬古文と室町時代の仮名文による各種の読み物）、庶民の口語の四種の日本語の文体様式が流通していた。繰り返すが国際的に極めて稀な事態である。

また江戸時代を通じて、タテマエとして、生まれついての四民の職分間の移動は禁じられていたが、養子制度による抜け穴が次第に拡大、武士身分は諸藩が規定していたため、とくに後期には藩儒に町人から漢詩文に優れた者を取り立てるようなこともなされ、身分制度はぐずぐずに崩れていた。だが、生まれついての職分の移動が解禁されるのは、一八六八年の明治維新後、一八七二年の徴兵告諭で、国体を古代の郡県制に戻すことともに、四民平等が宣言されてのちのことである。一八七二年の学制でエリートを養成する中等学校の「国語」に漢文（日本および中国の古典）が加えられ、西洋語は最低でも英語が加わり、高等教育にはリテラシーにおいて三言語以上が要求される体制が第二次世界大戦期まで維持された。言い換えると、漢文のリテラシーが急速に衰退したのは、戦後のことである。

9 ロラン・バルトの「作家の死」をめぐって

野家啓一は、先のデリダの文字言語における「話者の不在」論をさらにロラン・バルトの「作家の死」論へとつなげ、ロラン・バルトが、テクストは無数の文化の「引用の織物」にすぎないと述べたことにも言及、それを承けて、フェミニズム批評で活躍していたブルガリア出身の女性批評家、ジュリア・クリステヴァがテクストと他のテクストのあいだの関係のあり方（intertextualité）を探る方法を提案したことにもふれている。そしてロラン・バルトがテクスト間の意味作用を収斂させる場を「読者」に求めたことを、作家の「内面的意図」に意味の起源を求める言語論の構図を根底から覆そうと企てたという。だが、もし、ロラン・バルトの議論がテクストの自律性や特権性を示唆するものであるなら、それは起源への誘惑と手を切ったことにはならないといい、テクストの可変性を積極的に承認することによってこそ、「物語行為」概念の解明の入り口に立つことができると念を押している。

しかし、ロラン・バルトのいう「作家の死」は、直接的コミュニケーションにおける話者の位相の問題とも、自国語の問題ともかかわらない。バルトが英文のエッセイ「作家の死」（*The Death of the Author*, 1967）で述べたことは、『テクストの快楽』（*Le Plaisir du texte*, 1973）では「制度としての作家は死んだ」と言い換えられ、「テクストの内部に、何らかの形で、作者を私は欲する」と述べられている。この言い方ではテクストを「引用の織物」と言い換えても「テクストの内部」に、その「織り手」は存在するはずである。

「制度として」とは、著作権のことなどにふれていないが、社会的文化的なステイタスをもって存在するというくらいの意味であろう。わたしは、ここにはジャン＝ポール・サルトルがノーベル文学賞の授与を拒否したとき、「作家は生きた制度として存在することを拒否すべきだ」と述べたこと（一九六四年）が響いていると思う。

ここで、ミシェル・フーコーが、エクリチュールの機能だけが取り上げられ、論じられる傾向に対して、改めて「作者とは何か」を問うた講演を眺めておくのは無駄ではあるまい。明らかに、ロラン・バルトの「作家の死」論に対する応接だったと想えるからだ。

フーコーが一九六九年二月にコレージュ・ド・フランスで行った講演「作者とは何か？」(Qu' est-ce que un autour?) は、サミュエル・ベケットのエッセイから「誰が話そうとかまわないではないか」という一言をひいて、語りの主体への無関心があふれている批評の現状を紹介するところに始まる。それは、ある作家の「作品」(l'oeuvre) と断簡零墨やメモなどを見分ける困難さや、エクリチュールという観念が、それを書いた主体の経験的事実から離れることによって成り立っていることを指摘したのち、「作者とは何か」を考えることの困難さを、①その「名前」(le nom d'autour)、②テクストの「所有関係」(le rapport d'appropriation)、③テクストの「帰属関係」(le rapport d'attribution)、④作者の位置 (le position d'autour) の四つの視角から論じてゆく。①作者の「名前」も、その固有名詞が何の役割もはたさなくなるような場合を含めて、だが、ある特定の社会にあっては、はたらきをもつこと、②作者が宗教的に罰せられたり、著作権者として認められたり、科学論文においては、固有名詞は単に信頼度を測るためのものになっていることなど制度の歴史的変遷を述べ、③キリスト教の注釈学では、作者の聖性を証明するために、あるテクストが作者に帰属するかどうかを判定する批評基準があったこと、近代の文芸批評はそれに類似した手段で、作品と作者の結びつきを論じてきたといい、だが、たとえば数学の論文を語る「私」は、行文の文法的な癖などと無縁であることなどをあげ、作者のはたらきは多面的で、一義的に決められるものではないという。さらには、フロイトやマルクスの例をあげ、「言説性の創立」ということを持ち出し、そのような場合は、絶えず作者に立ち返って検討することによって新しい科学が拓かれる可能性があるという。そして④諸言説の類型学の可能性や歴史的分析への入口として作者のはたらきがあること、主体概念についても、従来の問いの方向を逆転し、それが、いかにして、いかなる条件によって、いかなる形態において言説の領界のなかに現れうるか、言説の内部にいかなる位置を占め、いかなる機能を果たしているか、と問うことこそが問われているという。いまや「それは実際には誰が語ったのか。本当にその人なのか。どんな真実性や独創性があるのか。その人は自分の内奥から何を表現したのか」という類の繰り返されてきた問いは聞こえてこない、その代わりに「作者についての言説(discours)は、どのような存在様態(les modes d'existence)をとるのか? それは、どこから取られてきたのか、どのように流通しうるのか? 誰がそれを自分のものにしうるのか? その主体をどのような位置において扱うことができるのか? その主体の多様性を誰が満たすことができるか?」が問われているといい、その背後に聞こえているは「誰が話そうとかまわないではないか」というざわめきだけなのだ、と講演を閉じている。[10]

10 Michel Foucault, *Dits et et écrits 1,1954-1975*, coll.《Quatro》, Gallimard, 1994, (éd.de 2001), pp.817-849,『作者とは何か(ミシェル・フー

これは、作家を消滅させてエクリチュールの機能だけを追及するロラン・バルトらの批評を背にしながら、作者をテクストの外部に歴史的社会的に存在する個人とは見なせないことを明示し、だが、個々のテクストの内部に存在する作者について、どのように問えばよいか、と問いの形を整えてみせたというところだろう。フーコーは、すぐに刊行が予定されていた『知の考古学』(*L'archéologie du savoir*, 1969)で、近代国家社会の秩序を支える言説についての考察を、その総合的な体系と各ジャンルにおける「言表」(énoncé)とに分けて組み立て直そうとしていた。ここで示した様々なジャンルの作者についての考察も、その展開のなかで追求できると考えていたのかもしれない。要するに、作品を歴史的社会的に存在する作家に密着させて考える批評は終わっているが、だからといって作者をまったく消滅させてしまうこともできないのだから、批評は、テクストの内部の作家のさまざまな存在様態を想定し、それらを切り分けて論じるしかないと提言している。とすれば、先のバルトの『テクストの快楽』の一節、テクストの内部の作家への関心の表明は、このフーコーの設問を受け止めたというシグナルだったことになろう。

だが、批評家が想定する作者は、本当にテクストの内部に存在するといえるのか？　ここで問いの向きを変える。作品とは何か、テクストとは何か、その二つは、どうちがうのか。まず、ジャン＝ポール・サルトルが作品をどのように扱おうとしていただろうかを尋ねてみたい。サルトルは『文学とは何か』(*Qu'est-ce que la littérature?* 1948)で、ステファヌ・マラルメが詩の読者を、その韻律を演奏する演

コー文学論集１）清水徹・豊崎光一訳、哲学書房、一九九〇、pp9-72を参照。

奏家に喩えたことを一般化した、とわたしには想えるのだが、読書を演奏にたとえて、読まれてはじめて作品が出現するという意味のことを述べていた。そう、誰にも読まれないうちは、作品はこの世に存在しないに等しい。

これは口演の場合は、より切実だろう。読書は中断されても、再開が期待できるが、口演は聴き手が途中で退席してしまったら、予定していた最後まで続けられない。享受者を考慮に入れた場合、聴くことと読むことのちがいは、もう一つある。口演には一回性が伴なう。口演者の口調だけではなく、内容が変更される場合もある。聴衆の反応に応じて変更される場合も、その一つのケースだ。が、その記録や編集されたものを読み、また録音されたものを聴く場合は、それは起らない。一回性は、楽曲の演奏にも読書にもつきまとうが、その場合は、楽譜や活字のインクの染みが変化したのではなく、演奏者や聴き手、読者の側に変化が起こるためである。つまり、口演一般がその行われる場に規定される。そこに「語り」と「話し」一般を区別する理由はない。わたしが「話し」一般と著述との中間に「語り」を置く野家啓一の構図に疑義を覚える第一の理由は、その点にある。だが、野家啓一は明らかに口頭伝承と著述とに跨って「物語行為」について述べている。これにはそれなりの理由があろう。

学術においても、講義（講演）・談話・論文・エッセイとでは、内容もジャンルによるスタイル、すなわちナラティヴも変化する。その場合でも、それぞれの作品の語り手は、社会的に存在する生身の作者とは、同じ実体でありながら、位相を異にすることを、われわれは、もう自明のこととしてよいだろう。書く場合においても、読者に迎合するか、変革の対象にするかの態度のちがいを超えて、少なくとも、そのジャンルの読者層が措定されていることは否定できない。たとえば詩人が読者から、これは詩ではないと非難されるかもしれないと考え、表現を既成の詩の規範にあわせて整える場合もあれば、いや、これは新しい詩のかたちなのだという主張をこめて、そのまま書き進める場合もあるだろう。つまり表現行為一般において、表現者は表現の場に規定される。それは生身の作者が置かれた情動や認識の場から、聴衆を前にした話者や読者を想定する表現の場に転位することに由来する。[11]

書く場合、表現の場にいる作者は、彼が想定する読者によって、それが演奏されることを想像し、演奏しにくいところを変更したり、逆に超絶技巧を強いることもあろう。その点、彼は聴衆の反応によって話し方や内容を変えたり、変えなかったりする口演者に似ている。先のベンヤミンの言は、古代や中世の吟遊詩人たちとはちがって、近代の小説の作家は孤独だと決めつけていたが、それは、読者の反応など考えにも入れない、小説世界に君臨する独裁者の孤独を想っていたのに似ていよう。

したがって、精確には「作家」は「テクストの内部」にも存在しない。そのように想われもする「作家」とは、実は、読者（批評家）がテクストの背後に、そのテクストの制作者として措定する実体というべきではないか。そのとき、「作家」は（たとえ匿名であろうと）読者から孤立してもいないし、死んでもいない。なぜなら、読者がそのテクストを読んでいるあいだは、その起源として彼の想像のなかで、活きているからだ。その意味では読者にとって、「作家」の特権性は保持されている。なぜなら、その「作家」が存在しなかったなら、そのテクストは存在しないからである。それは読者が、その生身の作家の

11　鈴木貞美『日本文学の論じ方―体系的研究法』（世界思想社、二〇一四）第3章1を参照。

社会的存在の姿を想像したり、そのテクストの外部の「作家」についての資料を参照したり、しなくとも変わらない。

同じ作家の名前を付した二つの作品のテーマが大きく変化したなら、読者はこれらは本当に同じ作家の作品なのだろうか、ゴースト・ライターの仕事ではないか、と疑うことができる。手稿の筆跡など鑑定したところで、決め手にはならない。ゴースト・ライターの仕事を作家が筆写すればよいからだ。しかし、二つの作品のあいだにナラティヴの共通性が認められ、それぞれの作家の同一性を確信する場合もあろう。それがたとえパスティシュに長けたゴースト・ライターの仕事だったとしても、その読者にとって、同一性が確信できれば、同じ作家の仕事とみなしうる。つまりは「作家」の同一性の判断基準も読者に委ねられていることになろう。

したがって、ロラン・バルトの「作家の死」論は、本当は、読者の作品の享受に伴う批評の方法にかかわる問題である。ロラン・バルトによって死を宣言されたのは、テクストの外部、社会的に存在する生身の作家であり、作品をその外部の作家に還元し、その環境から作品を解読するシャルル＝オーギュスタン・サント＝ブーヴがはじめた「実証主義」的な批評の方法だったというべきではないか。

『ボヴァリー夫人』がマダム・ボヴァリーの心理に細かく立ち入って書かれているのは、サント＝ブーヴが論じたように、その作家、フローベールが医者の息子だったゆえではない。医者の息子がみな心理解剖に走るわけではないし、心理学を学ぶのは医者の息子に限らない。だが、マダム・ボヴァリーの夫、シャルル・ボヴァリー医師のオフィスの様子や彼の立ち居振る舞いや、彼の考え方をリアルに造形できたのは、この作者の近親者に医者がいたからだろうと読者が考えても、それを無碍に否定することはできない。言い換えると、作品を作者の置かれた環境に還元すること(reduction)はできないが、環境の条件が作品にはたらくことは否定できない。その関係さえ、はきちがえなければ、読者がテクストの外部の作家について想ったとしても、目鯨立てることはないだろう。

10 ナラティヴを規定するもの

ロラン・バルトの「作家の死」論やテクストは「引用の織物」論を、より広い文化史的論脈において考えるなら、それはオリジナリティーの神話殺しの意味をもっていた。その神話には、作家の創作行為に、ゼロからの創造というキリスト教の創造主の観念が影を落としている。そして、その神話殺しもまた、すでにサルトルによって、彼がフランソワ・モーリアックのナラティヴを批判した「モーリアック氏と自由」(M. François Mauriac et sa liberté, 1933)で着手されていたともいえる。そこでサルトルは、モーリアックの「小説家とその作中人物論」(Le Romancier et ses personages, 1933)などに示された方法の曖昧さの一つとして、『愛の砂漠』(*Le Désert de l'amour*, 1925)の女性の登場人物(テレーズ・デスケィルー)が自分の嘘に気がとがめたものの、平然としていたという条を引いて、それは作家の立場からの判断であることを指摘し、作家は全能の神の視点を降りて、内的独白にせよ、描写にせよ、視点人物の立場に限定すべきだと主張していた。その主張は、さらに、サルトルとは立場は相違するが、作家は作品の創造主体ではないと考えていた一人の作家の考えに遡ることができるだろう。

それにわたしは心のなかの何かを紙の上に表すことに度しがたい嫌悪を感じるのです。――わたし自身、小説家というものは、何につけてであれ、自分の意見を表明する権利を持たないとさえ思っています。神が自分の意見を述べたこと、そのようなことがかつてあったでしょうか?
(Et puis j'éprouve une répulsion invincible à mettre sur le papier quelque chose de mon cœur. ··· Je trouve même qu'un romancier n'a pas le droit d'exprimer son opinion sur quoi que ce soit. Est-ce que le bon Dieu l'ajamais dite, son opinion ?)[12]

一八六六年六月二五日、二六日付け、ギュスターヴ・フローベールのジョルジュ・サンド宛て書簡の一節である。この書簡は二一世紀になって刊行されたフローベールの書簡集にはじめて収録されたものだが、すでに知られていた一八五七年三月一七日付け、ロワイエ・シャンピー宛書簡では、フローベールは、次のように記していた。

芸術家は、その作品のなかで、被造物における神のように、姿を隠しつつ、全能でなければならない。いたるところに感じられ、しかも姿を現してはならないのだ。

---

12 *Flaubert Correspondence, tome 3*, Etablie et anotée par Jean Bruneau Bibliothèque de la Pléiade, Paris, Éditions Gallimard, 2007, p.575. 久保田斉也『ギュスターヴ・フローベール「感情教育」論―実定的視線のもとで』(早大学位論文二〇一七)を参照。訳文はわたし流にやや修正した。

L'artiste doit être dans son œuvre comme Dieu dans la création, invisible et tout-puissant; qu'on le sente partout, mais qu'on ne le voie pas.[13]

つまり、フローベールにとっては、全能の神の立場に立つことと、作家は自身の考えを披歴することなく、現象のありのままを表象ないし再現する(représenter)こととが同義であった。彼は早くからバルーフ・ド・スピノザの汎神論に傾倒していたから、自然には神が遍在しているゆえに芸術は自然と同様であるべきだと考えていた。登場人物に即して、その内側から書く方法が採られたのも、それゆえであろう。

フローベールが『ボヴァリー夫人』で、自由間接話法を駆使したことはよく知られているが、それは視点人物が目まぐるしく転換するナラティヴと密接に関係する。他方、一八四八年の二月革命を前後する時期の風俗を題材にした『感情教育』(*L'Éducation sentimentale*, 1896)では、人間の騒ぎとは無縁に存在する自然を描写してもいる。この二つの作品のナラティヴはちがう。だが、二つとも汎神論哲学と密接に結びついており、それをあの手この手で実践に移そうとする作家はめったにいるものではない。そのように、わたしは判断し、『ボヴァリー夫人』と『感情教育』の作者の同一性を確信する。

これはわたしが一八六六年六月二五日、二六日付け、ジョルジュ・サンド宛てのフローベール宛書簡に出会い、それが一八五七年三月一七日付け、ロワイエ・シャンピー宛書簡としっかり結びついたゆえ

13　Ibid. tome 2, p.691

に、はじめて得られた結論である。これによって、多様なナラティヴを駆使したフローベールの一面が埋まり、その作家像に少し接近しえたかと思う（そして、これが単なる自惚れかどうかの判断は、この論脈を辿っている読者に委ねられている。というのが、先のミシェル・フーコーが整えた「作者とは何か」の問いに対するわたしのささやかな答えである）。

西欧において「創作」のみならず、文芸批評も、神学および哲学と密接に結びついてきたことはいうまでもない。フランスで創作（création）が生産（production）に、「作品」（oeuvre）がテクスト（texte）に言い換えられたのも、マルクス主義者のピエール・マシュレによる『文学生産の理論』（*Pour une théorie de la production littéraire*, 1966）を紐解いてみれば、即座に了解されよう。[14]

歴史叙述も、そのナラティヴは文章の技術、広い意味での文芸にかかわり、宗教や歴史哲学と密接に関係しつつ展開してきた。それを度外視して語ることはできない。欧米で知識層が意識的か無意識的かを問わず、絶対的超越神、すなわち全能の創造主を問題にするのを避けるようになったのは、実験主義が幅を利かせるようになった一九世紀中頃からのことだろうか。ユダヤ－キリスト教の創造主の観念がそれとして取り上げられなくなるにしたがい、作家のオリジナリティー（起源性）の問題は、まるで作家を表現世界の独裁者のように扱うかのような錯覚が支配するようになったのではないだろ

14 内藤陽哉訳、合同出版、一九六九（理論編のみ）。ちなみに中国では、長く詩には「制作」の語が用いられていた。「創作」は『墨子』〔所染〕に「先例に従わない」ことを非難する含意で見える。日本では、宗教的意味を脱した用法は、一九〇〇年代にかなり見られるようになり、若山牧水主宰の短歌雑誌『創作』が一九一〇年に創刊、一九二〇年代には志賀直哉の「偶感」などを収めた短篇集『雨蛙』も「創作集」と銘打つようになっていた。

うか。言い換えると、全能の創造主という観念のないところでは、はじめから、作家のオリジナリティーの神話など育たなかった。漢詩や和歌においては、前例を踏まえて、そのヴァリエイションを工夫するところに新奇な価値が求められ、その点に作品の個性を認め、それをその作家の技能に帰しても、その作家の個性は、創造主の観念を孕んだオリジナリティーとは無縁だった。東アジアの作者像と西欧の作者像を比較するとき、これが最も低い地平に見えてくる相違であろう。ただし、『源氏物語』がその各段を書写した手ごとに改作されていったようなことや、洋の東西を超えて生じる作者自らの改稿の問題などは、これとは別に、それぞれのケースについて考えるべき問題である。

野家啓一が柳田國男の「昔話」論を借りながら、「昔話」と架空の作り物語に相当する小説とのジャンルの相違を超えて、テクストの作家すなわち起源の消滅をいうロラン・バルトの議論と重ね合わせてみせた操作がわたしにアクロバティックに映ってしまったのは、その根本に、おそらく、表現一般の発信者の個性の問題と、全能の神の観念を背負ったオリジナリティーの神話を彼が混同したまま、「物語行為」に双方の起源を消却していたからではないだろうか。彼の場合は、さらにそれらを、絶対的超越神が創造したはずとされてきた歴史の観念と重ねて論じるので、すぐにも切れそうな綱の上を渡っているような危うい パフォーマンスが浮かんできてしまう。

11　ナラトロジーの国際的展開

先に述べたように、わたしは文芸の表現形態の分析を進めることによって、近代的価値観に基づく日本文芸史を再編する方向をとってきたが、それは、プルーストのナラトロジーに画期を開いたジェラール・ジュネットによる芸術表現のフィギュール（形態）の研究やブルガリア出身で、フランスの文芸批評に活躍したツヴェタン・トドロフ『幻想文学序説』(*Introduction à litterature fantastique*, 1970)など、フランス二〇世紀後期に進展していた文芸におけるナラトロジーへの関心とともにあった。トドロフは、そこで端的に、当代フランスの文芸批評がガストン・バシュラールやジャン＝ピエール・リシャールらのテマティズム（テーマすなわち題材主義）からナラティヴの考察へ転換したと断言している。だが、トドロフの考察はナラティヴに偏るものではない。

トドロフ『幻想文学序説』は、ロマン主義から象徴主義への過渡期にあたる一九世紀のリアリズム小説のうちに、語り手や登場人物が、これは実際の出来事かどうか、幻想か夢想かもしれないという「ためらい」を示しながら、その世界を開示する作品を「幻想小説」と呼んでいる。幻想世界を幻想として示すシルシをもつナラティヴといえばよいか。というのも、フェアリーテイルには、そのようなナラティヴは登場しないからだ。読者は、それが幻想と知りつつ、その世界にひたって存分に楽しめばよい。スピリッツが活躍するメルヘンでもSFでも、それは同じだ。

では、なぜ、そのような「ためらい」が作中で示されるのか。オーギュスト・コントに発する実証主義の浸透が、いわば迷信の類を駆逐する勢いをもちはじめていたからにほかならない。当代フランスの読者にとっては、登場人物が奇異な出来事に出会い、これは幻想かもしれないと疑いをもつ方が、ないしは語り手がそう語る方がリアルだったからだろう。典型的な作品として、オノレ・ド・バルザックの長篇『あら皮』(*La Peau de chagrin*, 1831)をあげてみよう。骨董屋からもらい受けたロバの皮の魔法の力によって、主人公は何でもかなえられるようになる。それは彼にとってよかったが、かなえるたびにロバの皮が縮んでゆき、最後は彼が欲望の充足に餓えて死んでゆく話である。その語り手は、はたしてそんなことが実際に起りうるかという疑問を提示しながら、ストーリーが進行する。そして、トドロフ『幻想文学序説』は、個別の作品の批評に向かうことなく、「幻想文学」の特徴として、そのナラティヴとしては読者を現実と幻想のはざまに宙釣りにするサスペンス、テーマとしては恐怖や性愛などが突出していることを論じている。そこでは、テマティズムとナラティヴィズムに橋を懸け、「幻想文学」の一般理論が目指されているのである。

日本では、幻想小説とリアリズム小説とを二分する俗流スキームが横行していたため、このような幻想文学の性格規定に理解が届きにくかったらしい。[15] だが、トドロフがテーマとナラティヴに橋をかけることによって、「幻想として幻想を開示する幻想小説」の一般理論の構築を目指した姿勢は、ミハエ

15　なぜ、その二分法が俗流かといえば、文芸ジャンルの分類にならないからである。まず、文芸は、すべてが読者の想像力によって幻影の世界が開示されるものであり、総てが幻想文芸といえるからである。次には、どのような観念的ないしは夢幻的世界もリアリズムの手法によって、細密ないしは真迫的な描写ができるし、なされてきたからである。たとえば、仏教経典には地獄の様相がリアルに描かれているものがあることやジョナサン・スウィフトの『ガリヴァー旅行記』(*Gulliver's Travels*, 1726)の冒頭では、船室で目覚めたガリヴァーの足許から小人が這い上ってくるのが感覚のリアリズムを用いて書かれているなどなど。第三に、最も決定的なのは、信仰や理想主義（観念論）に対する現実重視の世界観としてのリアリズムと手法としてのリアリズムとが混同されていることである。事実の回想であっても、回想時における整除や焦点化は避けられない。虚構性の種々の位相ともかかわることはいうまでもない。

ル・バフチンやジェラール・ジュネットの仕事と関連が深く、それらをふくめて、二〇世紀後半に展開した文芸理論がナラトロジーによって一挙に豊かさをましたと感じられる。そして、そのように感じるわたしには、その動きの根源に、言語活動全般についての普遍理論の構築に向けて展望を切り開いてきたロマン・ヤコブソンの追究があったように想われてならない。そして、ロシア・フォルマリズムからウラジーミル・プロップによって民話のプロットの解析が進んだことは、彼の追究と併行していた。

わたしはまた、表現形態[16]を、「いかに語るか」という角度に絞ることなく、「何を」と「いかに」の関連や、当代における批評理論を精神史との関連、より端的には総合文化史において把握する方向をとってきた。その関心のあり方は、先にルソー『社会契約論』やジャック・デリダの『グラマトロジーについて』にふれたところにも示されていよう。ただし、それは個々の作品の批評に限定しており、一般理論に向かうことはなかった。

たとえば、日本において、『古事記』『日本書紀』における神々の誕生の段は、話型をもって分析すれば死体化成神話に属する説話（個々の神話）が多数寄せ集められており、しかし、そこに『古事記』では多く「成」、『日本書紀』では「化」が用いられていることから、『記』と『紀』の編集思想のちがいを考えることになる。それは、丸山真男「歴史意識の『古層』」（一九七二）が『古事記』における「成」の使用頻度を

---

16 なお、「表現のかたち」には「表象」の語がふさわしいと思われるかもしれないが、これは原義として「再現」を含意する“representation”の訳語として用いられることが多く、わたしは“expression”（外部への表出）ないしは“presentatin”（現前化、提示）に近い含意で「表現」を用いてきた。

もって「つぎつぎになりゆく勢い」を読み取っているのは、本居宣長の方法に倣ったもので、『日本書紀』にもそれは認められるという一般化には反対するものだった。そして、その根は、丸山眞男の進化論受容の中国と日本のちがいへの着目にあったことを突きとめ、東アジアにおける進化論受容史を探る一貫として、そもそも漸進思想であるダーウィン進化論が、中国では革命思想に転じた理由を、厳復がトマス・ハクスリーの著書を翻訳した書のコメントに探ったりしてきた。たとえばこのように、当代において勢いをもっていた考えの批判的検討を通じて、古代から今日にいたる日本の総合的文化史の編み換えを少しずつ進めてきたつもりである。

なお、神話の話型分析は、ナラティヴの分析と密接に関連するが、広い意味での文芸の形態分析であり、日本において神話や民間伝承の「話型」の分析は、ロシア・フォルマリズムに培われたプロップ『昔話の形態学』(*Морфология сказки*, 1928) におけるプロットにヒントを得て、進展したとみてよい。なぜなら、それは一九六〇年代にクロード・レヴィ＝ストロースの神話の構造分析が注目されたのと軌を一にしており、同時にプロップのプロット論もいわば再発見された関係にあったからだ。ただし、柳田國男が『日本昔話名彙』(一九三六) で行った「昔話」の類型 (タイプ) を関圭吾らが拡充発展させており、それらが入り混じったことは否定できない。

プロップのいうプロットは、ストーリーを展開させる契機 (モチーフ) に絞って、そのタイプを抽出したものであり、いわゆる類型分類が話の内容から基準を設定し、段階的ないしは複合的になるのとは異なる。だが、プロットの研究も、それが共通する類話の集積と相互性をもつ。プロップのプロットは民話のナラティヴの分析から抽出されたが、それによって逆に、プロットからはみ出る個々の民話の要素も析出され、それぞれのナラティヴの特徴が把握されるという関係にある。つまり、プロットの一般論と個々の民話の批評とは相互性をもつ。先のわたしの場合も、プロットの分析ではなく、新しい形態が出現することを意味する「成」と、ただ相が変化することをいう「化」とを比較する類似性と差異の見分けに止めている。この問題も、ここで止め、今日のナラトロジーについての見渡しをつけておきたい。

ヤコブソンは、たとえば「言語学と詩学」で、フェルディナン・ド・ソシュールのいう言語体系(langue)の記号的性格(シニフィアン=シニフィエ)は、古代ギリシャ・ローマ時代から論じられてきたといい、言語学の目指すべき方向として、言語活動の通時態と共時態との総合をいい、そして詩の形成過程の一般論に取り組む姿勢を示していた。この言語活動論の共時態の追究の姿勢は、彼が一九四一年にプラハからニューヨークへ亡命し、そこで文化人類学者のクロード・レヴィ=ストロースと親交を結んで、互いに広い射程をもつ知見に向かったことと関連する。

先に批評は作品享受の一形態と述べたが、最後に、ナラティヴの分析に近接する領域として受容美学(読者反応批評)について触れておきたい。ドイツのヴォルフガング・イーザーが唱えた「期待の地平」論――読者は自身の期待の地平をもって作品を読むため、書かれていないことまで読み取ることがある――などが比較的知られているが、受容美学は作家還元主義に対して提案された狭義の芸術論の一つである。[17]

17 そのように断っておくのは、日本では読み物の読者全般を扱う「読者論」に拡張され、近代の読書傾向を黙読の増加にイーザーとともに受容美学の開拓者として知られるハンス・ロバート・ヤウスは、それによって衰退傾向を辿る文学史の復権に寄与しうると考え、『挑発としての文学史』(*Literaturgeschichte als Provokation der Literaturwissenschaft*, 1967)をまとめたが、そのなかで、フローベール『ボヴァリー夫人』をめぐって、当代フランス読書界に、その時期、新聞ダネになったブルジョワ夫人の姦通事件をめぐる小説が流行していた様子を解明し、その扱い方の分析を通して『ボヴァリー夫人』の評価史に一ページを加えた。わたしは、受容美学は作品の評価史に収斂させるべきだと考えており、このような評価の仕方になるが、ここでふれておきたいのは、『挑発としての文学史』中の第二論文「芸術の歴史と一般史」である。

そこでヤウスは、ヘーゲルの歴史哲学の観念論的イデオロギーを批判し、文献実証主義の有効性を提起して、一九世紀後期の先進各国に、歴史学こそが歴史を動かすという「歴史学の時代」をもたらしたレオポルト・フォン・ランケの歴史叙述にも、演劇的なクライマックスが設けられていること、すなわち美学が忍び寄っていたことを明らかにし、そしてドイツにおける歴史解釈を統合する位置を民族文化有機体論が占めてきたことにも言い及んでいる。[18] 歴史学における文献実証主義の提唱者においても、それが意識的になされたかどうかを問わず、その歴史叙述に読者に効果的なナラティヴとして演

収斂させ、「音読から黙読へ」と定式化したものの、そこでは音読と黙読の本質的同一性（どちらも音韻の響きを受容する）をはじめ、古代から漢文もふくめて黙読が行われていたことが考慮されず、近代的環境の考察も錯乱した内容の「研究」が一九七〇～八〇年代の一時期、流布したからである。児童の教育における音読は増加したが、社会においては集団におけるマナーの徹底と速読の普及により、黙読が増加したのだった。鈴木貞美『日本文学の成立』（二〇〇九）を参照。

18 鈴木貞美「H.R. ヤウス『挑発としての文学史』批判」鈴木貞美 hp.(2011/3/30) を参照。

劇の技術が採用されていること、また国家論や民族論が影を落としていることは、学芸ジャンル間の関係にわれわれの関心を誘うだろう。

ヤウスの歴史哲学の総括を、わたしなりに、ごく簡単に敷衍しておけば、二〇世紀前期のドイツ哲学において主導的な役割を果たしたと見なされてきたヴィルヘルム・ディルタイの唱えた歴史主義、すなわち自ら生成する歴史観も、その実、民族文化有機体論をベースにしていたといってよい。なぜなら、彼の唱えた解釈学は、社会諸現象を「普遍的生命」(universal life) の記号として読む方法であり、それは、ごく簡単にいえば、ヘーゲルの世界に君臨する「絶対理性」を「生命」に置き換えたところに成立したものだったからである。その着想は、ディルタイの初期ノートにメモが残っている。

野家啓一『物語の哲学』第3章「物語としての歴史」には、西洋近代における歴史哲学において、アウグスティヌスの現在を起点に線型的に流れる時間論からの転換や、超越的絶対神を歴史の創造主とする目的論的な歴史哲学の転換をめぐる論議が展開する。わたしが、この問題について考えてみたいと思ったのも、野家の提起があればこそであり、よい検討材料を与えてくれたことには感謝するが、フローベールに「神の視点から降りる」ナラティヴをもたらしたのは、スピノザの汎神論だったと論じたわたしの関心は、啓蒙主義の「理性」に「神の視点から降りる」契機の有無を検討する論議には向かわず、目的論的な歴史哲学の転換をめぐっても、少し別のルートを辿ることになる。

デカルトの『方法序説』(*Discours de la méthode*, 1637) であろうと、イマヌエル・カントの『判断論批判』(*Kritik der Urteilskraft*, 1790) の冒頭近くに示された自然観であろうと、またヘーゲルの発展段階論であろうと、西欧の目的論的世界観の総てが超越的絶対神の存在を大前提としており、啓蒙主義を潜ったのちも、人間の理性は創造神から賜わったものという観念を払拭しえていないと考える。ヨハン・ゴットリープ・フィヒテが初めてそうしたように、信仰の対象としての「神」を哲学的考察の対象としての「絶対者」と呼び換えることにより、彼の場合には、むしろネオ・プラトニズムの「唯一者」に接近する道が開け、「唯一者」から流出する「生命」の観念に辿りついたと推測する。そうでなければフィヒテは人間の生命活動の目的を論じる『人間の使命』(*Die Bestimmung des Menschen*, 1800)は展開できなかっただろうと。そして、フリードリヒ・ニーチェの場合は、創造神の観念がエネルギー一元論（保存則）に置き換わったとたん、まるで啓示を受けたかのように、存在の「現在」が時間も空間も普遍に通じるものへと転換したと見てよいが(『力への意志』断片1063)[19]、それも、フィヒテの「唯一者」の観念をアルトゥル・ショーペンハウアーが「生の盲目的意志」ないし「宇宙の意志」に転換したことを学んで、ニーチェにうちに「普遍的生命」の観念が育くまれていたゆえ、と考えるのである。

野家啓一のように歴史観の解釈学的転換は、分析哲学の言語論的転換によってもたらされたと考えるなら、遡って、キリスト教の「天賦言語説」を批判し、人間にとっての言語の意義を説いた『人類歴史哲学考』(*Auch eine Philosophie der Geschichte zur Bildung der Menschheit*, 1774～91, 未刊)を遺したヨハン・ゴットフリート・ヘルダーの提言を避けては通ることはできないだろう。またヤーコプ・ブルクハルトが『世界史的考察』(*Weltgeschichtliche Betrachtungen*, 歿後1905)で、歴史の「縦断面」と「横断面」の二面を想定し

19 鈴木貞美『歴史と生命―西田幾多郎の苦闘』（前掲書）などを参照。

たことは、線型的歴史主義と歴史の横断面のしくみを考察する構造主義の二つを用意したようにも考えうるだろう。そのように考えるなら、ヘーゲルの「絶対理性」を「生命」に置き換えることを着想したことによって、ヴィルヘルム・ディルタイは世界を「生命」の記号として解釈する思考法を創始し、「自ら生成する歴史」観と同時に構造主義的世界観を提出したという見取り図に容易に至る。

ヘーゲルの「生命」概念について、また西田幾多郎がヘーゲルを「生命主義」の先行者のように見なしていたことなどは、すでに再三、論じてきたことであり、ここでは詳述しないが、ヘーゲルは『美学講義』において、オリエント(エジプト)——古典ギリシャ——ゲルマン民族ないしはキリスト教文化への発展段階論的構成をとっていた。その発展段階論は「普遍的生命」概念を原理に据えることによって成り立つものであり、それは彼の民族文化有機体論を支えていたともいえるだろう。ただし、ヘーゲルの歴史哲学を観念論と批判し、文献実証主義に道をつけたランケにおいては、歴史の諸段階はそれぞれに神の光に照らされているという命題や、歴史の主導因としてモラリッシェ・エネルギーを措定する考えが明らかで、その意味で形而上学と実証主義の方法とは容易に組み合わされることが明らかだろう。

また、社会の現実と正面から向きあう実証主義と有機体論の関係は、フランスにおいて階級等の激化する現実を前にして実証主義を唱えたオーギュスト・コントが、その解決策として、よく調和のとれた社会有機体を考えていたこと、イギリスにおいて、それを批判的に摂取したハーバート・スペンサーもまた、社会有機体論にのっとってレッセ・フェールを唱えたことを俎上にあげられよう。だが、スペンサーの議論に対して、トマス・ヘンリー・ハクスリーがエッセイ「行政ニヒリズム」(Administrable

Nihilism, 1871)で、有機体の緒器官が自由勝手に動いたら、その有機体は、すぐに死ぬしかないではないかと批判を浴びせたことにも、形而上学的思弁と方法としての実証主義ないし実験主義が安易に同居しうることは明らかだろう。総じていえば、歴史観の叙述におけるナラティヴの観察は、近代歴史学の概念操作や方法への批判を活性化し、史実の解釈の妥当性をめぐる論議の場を開く可能性を拡大するはずである。

この二〇世紀前半の歴史主義と構造主義の二つを見渡す見取り図からは、それがいかに雑駁であっても、諸分野の作者をめぐってその存在の歴史的局面をたどって見せたフーコーの講演を参照するまでもなく、二〇世紀後期、西欧のポスト・モダンとか「脱構築」とか称される論議が記号論‐構造主義に立って、内部の転換を図っているにすぎないことがよく見えてこよう。わたしは歴史の横断面のシステムが組み換えられてゆく立体的な構図で時間的な経緯が考察しうると考え、日本における概念編制史に接近してきたつもりである。このようにいうとき、わたしが念頭に置いているのは、図式先導的な見取り図の上に、一九世紀西欧の歴史家の歴史観を射影してみせたヘイドン・ホワイト『メタヒストリー――一九世紀ヨーロッパにおける歴史的想像力』である。この書物が、はたして歴史解釈の正当性をめぐる論争の場へと人々を誘うものか、どうか、次章では、それを検討してみたい。

第2章

ヘイドン・ホワイト『メタヒストリー』

——類型に憑かれた知性

1『メタヒストリー』について

ヘイドン・ホワイト『メタヒストリー——一九世紀ヨーロッパにおける歴史的想像力』(*Metahistory: the historical imagination in nineteenth-century Europe*, 1973)は、二〇二〇年代に入っても、「歴史」をメタレヴェルで論じた代表的書物のようにいわれている。たとえば師茂樹『最澄と徳一——史上最大の対決』(岩波新書、二〇二一)は、日本に天台宗を開いた最澄の教義に法相宗の学僧・徳一が食ってかかり、そのあいだに繰り広げられた名高い論争をめぐって、それぞれの主張を素人のわたしにもよくわかるように仏教教説史のなかで相対化してみせてくれる有難い書物なのだが、[1] その第5章3節で、ヘイドン・ホワイト

1わたしが師茂樹『最澄と徳一』を読んでみたのは、説話概念の形成史を検討し、中世説話はナラティヴによって、タイプ分けができるのではないか、という問題意識に発している(「『説話』という概念—文化史の再建から文芸史研究へ」倉本一宏・小峯和明・古橋信孝編『古代中世説話の形成と周縁(中近世編)』臨川書店、二〇一九)。『今昔物語集』の各篇が時と場所を特定する構えをもつ特異なスタイルの由来を考えているうち、その鈴鹿本の編纂が法相宗・興隆寺の菩提院方

On Metahistory by Hayden White,
or Review of that Types Mapping Method;
Why does Narratology Need to be Made in Japan?(2),
iichiko intercultural, Spring 2022, no.154

『メタヒストリー』にふれ、そののち、ホワイトの『実用的な過去』(*The uses of history: essays in intellectual and social history*, 1968)を「歴史学的な過去」に対して「実践的な過去」を扱う論議と紹介し、最澄は徳一に対して、釈迦は最初から、このような議論が起ることを見通しており、それゆえ、これは、もう論じつくされた問題なのだ、と自分なりの仏教教説史のまとめをもって論駁するするやり方に「実践的な過去」を用いている。そして師茂樹は、加藤周一『雑種文化論』(一九五五)に対して、丸山眞男が昭和戦前期の「近代の超克」論を念頭において、日本においては論議の蓄積のないこと、伝統の形成の欠如をもって応じたことにもふれ、[2]『最澄と徳一』の企図を言説(discourse)の歴史一般に読者の関心を開いてゆく。

南井坊においてなされたという説が強くなっていることに、いささか疑問を覚え、唯識と関連が深い法相の宗派性に関心をもちながら、『今昔』本朝編に、安珍・清姫ものなど明らかに天台寺院のものが編集されていることを、どう解けばよいのかを考えてきた。もし、菩提院が鎌倉時代に入って再建されたとき、法相正統派の宗派性から離れて観音信仰など強くし、それでも編纂作業が引き継がれていたとすれば、最も考えやすくなる。すると、『今昔』本朝編の成立は鎌倉以降になりそうだが、それで問題が生じることはない。

2　加藤周一のいう明治以来の雑種文化は、「雑種」という比喩が文化有機体論の影を引きずっていることは措くとしても、物質文明と精神文化の双方にわたって、近代化すなわち西洋化図式に抗して、「雑種」のつくられ方に踏み込んで分析してゆく方向にわたしを向かわせてくれた。丸山眞男がタコ壺型の学界状況に向けて放った警鐘は、それとして真摯に受けとめながらも、だが、そこで丸山が「近代の超克」思想の流れを例に挙げ、論議の積み重ねがないこと、伝統が伝統として形成されていないことを対置したことについては、よく踏み込んでみれば、明治末から、西欧の「反近代」および「近代の超克」思想を受け止めながら展開してきた、それなりの系譜と展開を掘り起こせることを『近代の超克―その戦前・戦中・戦後』(作品社、二〇一五)にまとめもした。そして、そもそも『日本政治思想史研究』(一九五二、改訂版一九八三)にまとめられた論考のもとは、丸山が戦時下、江戸時代の政治思想をいわば論議の積み重ねのない状態と見ていたゆえに、適当にピックアップし、絶対主義君主制思想が形作られる過程を描いてみせたものに過ぎないことを指摘し、幕藩二重権力下に実地主義のナラティヴが拡がっていった過程などとともに、そのオルタナティヴの提出を試みてきたし、また明治期以降、日本そのために行われたことで、許されようが、厳密にいうと、先の最澄による徳一に対する論駁の仕方を「実践的な過去」と称するのは拡大解釈である。なぜなら、ホワイトの『実用的な過去』は、歴史的反省は倫理的反省であるべきだという立場から二〇世紀のナチスのホロコーストをめぐる社会史の叙述方法を検討する一連の論考であり、もう議論は終わっている式の論議の仕方は同列には扱えないからである。

いま、わたしは思わず知らず、「言説史一般」などと書いてしまったが、「言説」の語が日本の学術界に流行したのは、一九九〇年ころのこと。フランス一九世紀の国家＝社会制度を焦点にして、それに対応し、それを支える観念の制度を指して、ミシェル・フーコーが用いた用法に刺戟を受けながらも、用法が限定された学術タームという意識は薄く、普通の論述一般の意味で俄かに広がったのだった。今日、「言説史」という語から想い浮かぶのは、①国家＝社会制度と対応する観念の制度、②思想史ないし精神史一般と見てよいだろう。ただし、今日、もう一つ、③論述のレトリックへの着目が浮上している。これにも経緯があろうが、今日、野家啓一『物語の哲学』などが呼び起こした歴史叙述を物語として捉える関心の先に浮かび出るのが、ほかならぬヘイドン・ホワイト『メタヒストリー』らしい。

『メタヒストリー』は「序論」に「歴史の詩学」を置き、一九世紀西欧の歴史家の歴史意識を「詩学」、すなわち言語芸術として扱う態度を鮮明にしている。そして、その本論は「第1部 受け入れられた伝統―啓蒙と歴史意識の問題」「第2部 一九世紀の歴史記述における四種類の『リアリズム』」「第3部 一九世紀

流の立憲君主制が展開してきた過程の解明などにも、各種の新書をふくめ、取り組んできた。つまりは東アジアにおける古代からの歴史観および歴史叙述についても、少しずつ取り組んできたつもりである。

後期の歴史哲学における『リアリズム』の拒否―歴史意識と歴史哲学の再生」の三部からなり、ヨーロッパ一九世紀のさまざまな歴史家の想像力と「リアリズム」の関係を主題にとり、それをナラティヴ、「語りの方法」という角度から論じて、その後期には「『リアリズム』の拒否」の態度が明確になったとまとめている。そののち、ホワイトは『実用的な過去』で、二〇世紀の歴史叙述において、歴史的過去への倫理的反省がどのように行われてきたか、という検討に歩を進めた、ということになるだろう。

では、なぜ、彼は『メタヒストリー』で、一九世紀西欧の歴史家の想像力をナラティヴとして扱ったのか、その理由が問われよう。その第1部は二章に分かれ、「隠喩とアイロニーのはざまの歴史的想像力」では、いわゆる一八世紀後期の啓蒙思想（Enlightenment）における歴史観が扱われ、それを踏まえて「ヘーゲル―歴史の詩学とアイロニーを超える方法」が置かれている。「序論　歴史の詩学」がヘーゲルで受けられていることがわかる。次の第2部の一九世紀中期の歴史家の「リアリズム」の四種とは「ミシュレ―ロマンスとしての歴史的リアリズム」「ランケ―喜劇としての歴史的リアリズム」「トクヴィル―悲劇としての歴史的リアリズム」「ブルクハルト―風刺劇としての歴史的リアリズム」と並べ、これら歴史学の巨匠たちの「歴史」が検討されている。そして第3部は「マルクス―換喩の様式における歴史の哲学的弁護」「ニーチェ―隠喩の様式における歴史の詩的弁護」「クローチェ―アイロニーの様式における歴史の哲学的弁護」と展開する。カール・マルクスにしても、フリードリヒ・ニーチェにしても、またベネデット・クローチェにしても、それぞれに大きな世界観、歴史観の転換を企てた人として知られているが、それぞれの「リアリズムの拒否」の仕方、新たな歴史哲学の建設の方向がどのように説かれているか、関心を惹かれるのは、わたしだけではないだろう。

ヘイドン・ホワイト『メタヒストリー』は、それに関心を注ぐ人々からは、ヨーロッパ一九世紀のさまざまな歴史観ないし歴史叙述の「言語論的転回」の解明に挑んだ書物といわれている。「言語論的転回」は、二〇世紀の科学哲学の論理実証主義が、その拠点となる「論理」を数学から言語に移していったことをいうタームで、それを応用している。歴史観の開陳も歴史叙述も言語によってなされる限り、言語の性格に規定されざるをえないことは、いうまでもないことだが、そのアプローチがどのようになされているか、それは歴史をメタレヴェルで扱う方法としてふさわしいか、その検討は行われてきたのだろうか。検討に向かおうとする姿勢もちらほら見えているようだが、寡聞にして、かろうじてでも全容に及んだ例を知らない。何分にも大部の書物である。率直にいうが、わたしにしても、翻訳書の訳注の助けを借りても、著者の判断の根拠がどこにあるのか、よくわからないところがかなりある。が、「歴史」なるものをメタレヴェルで扱うのに、ふさわしい方法が採用されているか、どうか、「歴史」のナラティヴの歴史の探究に向かう一環として、吟味を試みる者がいてもよいだろう。以下、本章第2節で、その企図を探り、第3節で「序論」、第4節で「第1部」、第5節で「第2部」「第3部」をそれぞれ批判的に検討し、その上でナラトロジーをめぐる議論を試みて、結論に至ろうと思う。

2 その企図

「序論　歴史の詩学」では、歴史学の著作を「散文の言説をナラティヴ形式で展開する言語構築物」(a

verbal structure in the form of narrative prose discourse）と規定し、歴史の説明（explanation）を効果的に行うには、それに「詩的・言語論的な性質」をもつナラティヴ形式を与えることが不可欠であると、全体の企図を明らかにしている。ここで「詩的」は言語芸術的性格、「言語論的」は言語活動が不可避的に帯びざるをえないレトリックの意味でいわれている。この書の刊行時期には、本書の序でふれたように、ロマン・ヤコブソンが失語症の研究から提喩と隠喩を認知の根本にかかわるものと論じていたことなどが広く知られ、そののち、一九八〇年代にかけて、レトリックが概念操作の根本にかかわるものという認識が定着していった。あるいは、第二次世界大戦を跨いで、アメリカの文芸批評に言語の意味の重層性やレトリックの多様性に着目する“new criticism”が拡がったことの残響が聞こえるかもしれないし、それらが、アメリカでも日本でも、この書物への関心を掻き立ててきたにちがいない（ヨーロッパではどうか、寡聞にして知らない）。

ホワイトはいう。歴史の説明は、事件の時系列的な羅列であるクロニクルを、発端‐中間‐結末を持つストーリーに組み立てること、その構成要素に意味の秩序を与えて配列すること、つまりはプロットを与えることである、と。それゆえ、言語芸術的な性格を帯びざるをえないし、言語論がいうように不可避にレトリックがはたらくゆえに、その二面の性格を帯びざるをえない。したがって歴史の説明は歴史そのものを超えるメタレヴェル、言い換えると「歴史の内実を超える歴史」にしかならない、と。それが彼のいう「メタヒストリー」の含意である。

ここにかなりの疑問が湧いて不思議はない。レトリックとは何をいうのか。たとえば比喩とアナロジーなどの論理操作とを区別するのか、しないのか。言語活動はレトリックを不可避に伴うとしても、だが、レトリックに還元しうるものではない。詩をもって代表しうるものでもない。率直な感情の表出もあれば、知的論理的な営みもある。神話もあれば物語もある。意見の交換も、政府の通達などもある。近代、とくにドイツでは、感情の表出をもって、言語芸術の本質とし、知的文芸と二分する傾向も生じたが、ヨーロッパ二〇世紀においては、詩もまた知的批評を伴って展開してきた。これらのごく常識的なことが、ここでは捨象されてはいないか。これらは、論議の途中でも問題にしてゆくだろう。

このようなホワイトの企図の前提になっているのは、「自然科学における進歩は、そのときどきに確立している科学者共同体の成員が、何を科学的問題と見なし、科学的説明とはどういう形式をとるべきであり、どんな性質のデータを本来的な意味で科学的な現実解釈の証明手段として認めるかについて、達成した合意を基礎にもっているように見える」のに対して、「歴史家のあいだにはそうした合意は存在していないし、かつて存在したこともなかった」という判断である。[3]

たとえば、ジョン・ロックが主張した経験以前の頭脳のタブラ・ラーサ(白紙状態)に対して、カントが知性には「物自体」に出会う以前、すなわちア・プリオリに対象の認識能力として「量」(単一性、多数性、全体性)、「質」(実在性、否定性、限界性)、「関係」(実体性、因果性、相互性)、「様態」(可能性、現実存在、必然性)のカテゴリーが与えられているといったとき(『純粋理性批判』*Kritik der reinen Vernunft*, 1781)、それはアリストテレスの学の体系を組み換えてつくられたもの、学習によって獲得されるものだった。

3 岩崎稔監訳(作品社、二〇一七)p.62

が、これらのカテゴリーで、自然とその法則に対するように、人間の活動によってつくられた歴史が認識できるわけではない。ホワイトのいうとおり、一九世紀の歴史家に歴史にアプローチする学の体系が共有されていたわけではない。

だが、それ以前に「歴史」については、絶対的超神を戴く教会の教えを相対化するような、ヨーロッパの外の世界への眼差しも拡大し、人間の理性によって過去の事件をありのままに把握すべきであるという啓蒙主義哲学の動きがさまざまに乱舞していた。そこにはスコラ哲学から延びてくる議論やスピノザの汎神論の影や、古典ギリシャに発する唯物論系の呼び返しも混じりもし、「歴史」の解釈のスキームや価値観は実に多様だった。それゆえ、ホワイトは「第一章」で、まずは一八世紀に遡って、啓蒙思想における「歴史」についての言説から論議に入っているのだ。

ここでホワイトのいう自然科学者のあいだにある合意とは、その表現から見て、おそらくトマス・クーンの『科学革命の構造』(*The Structure of Scientific Revolutions*, 1962)にいう「パラダイム」の影が射している。クーンのいう「パラダイム」は、ある一つの学の体系を支える原理的な部分をいう本来の意味から、教科書の範型(手本)のような用法に、また研究および教育のシステムなどにも拡大されているので、それはそれで問題にしなくてはならないが、さしあたりはアイザック・ニュートンの理論を整理した古典力学の体系を、観察対象と観察主体の相互の慣性運動を勘案し、アルベルト・アインシュタインが時間と空間の概念を組み換え、相対性理論の体系に転換したようなことを考えればよい。[4]

4　日本では、クーンのもとで学んだ人によって実に自由に拡大されて用いられ、流布した感が否めない。鈴木貞美『日本人の自然観』作品社、二〇一八、第1章2節を参照。

古典力学体系が整う出発点となったのは、ニュートンの『自然哲学の数学的諸原理』(*Philosophiæ Naturalis Principia Mathematica*, 1687)だが、それはタイトルが示すように哲学の一分野としての自然哲学であり、その語り方はユークリッド原論に倣って作図を用いて幾何学的証明を積み上げる方式だった。ヨーロッパ大陸のライプニッツ学派から激しい論難を受け、一七一三年の第二版の「一般注」(general note)では、超越的絶対者の存在を認めている。ニュートンは、まずは神学者で、その著作の三分の二は神学関係である。その一環として物理学や光学と取り組んでいたのだった。[5] その自然哲学が、絶対的超越神の問題を抜かして(カッコに入れて)、力学体系として整理されたのは一九世紀への転換期と見てよい。それが厳密には、クーンのいう意味での近代科学革命の「パラダイム」の確立なのである。

だが、一九世紀の力学の世界は、他方で熱力学が開発され、エネルギー保存則が定立して、中期には潜在エネルギーを含めた概念編制がまとめられた。また後期には、電子の存在が確認され、アトムの階層構造に関心が集まったが、実体としてのアトムが確認されるのは二〇世紀初頭だった。そして、それとほぼ同時期に、物理学の世界で、アインシュタインによる「パラダイム・シフト」が起きたのである。さらにいえば、地質学や生物学などを含んだ自然科学の自然科学としての学問体系の成立は二〇世紀への転換期とみてよい。[6] つまり、一九世紀を通じて、自然科学のパラダイムには大きな組み換えが起っていたのである。

---

5 同前、第1章2節を参照。
6 同前、第4章3節を参照。

そして、それは歴史家にも影を落とす。一八世紀西欧の啓蒙主義の哲学は、フランスのヴォルテールやドイツ語圏のイマヌエル・カントにしても、ニュートン力学と決して無縁でなかった。一九世紀中期には、チャールズ・ダーウィンによって観察とその帰納法によって、生存闘争を主とする生物進化論が組み立てられ、トマス・ハクスリーがダーウィンのブルドッグを名乗って教会の牧師を正面から論争し、生物史観、人類史観を根底から揺るがした。そのことは、たとえばカール・マルクスの歴史観にも影を落としている。つまり、一八世紀の啓蒙思想が育んだ過去の出来事のありのままに接近しようとする姿勢は、自然科学の展開から絶えず影響を受け、その方法がさまざまに吟味されてきたのである。そして、それは一九世紀中期に人文科学(the humanities)の内部、国家や社会へのアプローチに展開していた実証主義(positivism)の動き、オーギュスト・コントやハーバート・スペンサーの社会学とも連動していた。西欧一九世紀中後期の歴史的想像力の展開において、その動きの検討は欠かせないだろう。

だが、ホワイトは西欧一九世紀中期の歴史家の歴史観を「リアリズム」と括りながら、自然科学(力学)と異なり、西欧一九世紀の歴史学は「パラダイム」をもたなかったと断言する。そこでは認識方法としての実証主義は主題化されていない。言い換えると、ナラティヴの分析から実証主義の認識方法が外されている。その断言は、一九世紀の歴史学における実証主義の進展とそれへの反撥の動きを観察しようとしない、いわゆる歴史そのものを再構成する企図に立つ実証史学に対して極めて挑発的な態度に映る。

たとえホワイトが今日の実証史学も、言語学的・詩的な「メタレヴェル」の性格を帯びるということを丁寧に説いたつもりだったとしても、実証主義の流れに立つ歴史学者が『メタヒストリー』に「フィクションと歴史の境界を破壊するもの」というレッテルを貼って、検討しようとしないのはそれゆえだろう。だが、ここでは、クーンの著作が物理学界に呼び起こしたようなリアクションをホワイトが歴史学の世界に生むことを期待していたわけではなさそうだ、という憶測だけ述べておけばよいのかもしれない。

ヘイドン・ホワイト『メタヒストリー』を「歴史学における『言語論的転回』の端初」のようにいう向きには、わたしは二〇世紀における分析哲学の展開の総体をよく把握できていないので、そのなかに位置づける能力をもちあわせていないと応えるしかない。ただ、ナラトロジーと歴史叙述との関連に関心をもつ読者の一人として、歴史家の著作も、いかなる歴史哲学、いかなる方法に立とうとも、言語構築物という規定性をまぬかれようがないのだから、ことは、ホワイトが一九世紀西欧の歴史学のナラティヴの分析をどのように行っているか、その検討に向かうことになる。何のためにか、といえば、日本における『歴史』の歴史」を展開したいという、かなり遠く離れた目的を実現するためである。つまり、検討の焦点は、一九世紀西欧の「『歴史』の歴史」、まさに「メタヒストリー」の方法にあわせることになる。

3「序論　歴史の詩学」

ヘイドン・ホワイトは、歴史の説明を効果的に行うには、説明に「詩的・言語論的な性質」をもつナラティヴ形式を与えることが不可欠であるとし、言語活動が不可避的に帯びざるをえないレトリックを言語芸術的性格に寄せて説明していた。そして、一九世紀西欧の歴史学には自然科学のように「パラダイム」が成立していなかったため、個々の歴史家は出来事の記録の認識や批判を行う以前に、形象のモデルを必要とし、それに導かれると述べている。歴史について考えるには、形象のモデルが不可欠で、そのどれかが選択されるというわけだ。そして、一九世紀西欧における歴史学者の歴史の説明を大きく四つに分類する。

①プロット化による説明（explanation by emplotment）
②論証形式による説明（explanation by formal argument）
③イデオロギー的含意による説明（explanation by ideological implication）
④深層にはたらくレトリック（strategy of unconscious mind）

これらは、さしあたり、それぞれの説明の仕方の局面ないし位相（dimension）のちがい、歴史家の「歴史」にアプローチする際の視角と理解してよいだろう。②③は、言語運用の方法にはちがいないが、詩学（言語芸術）をはみ出る領域だろう。

そして、さらに、それぞれの内部を四つのパターン（類型）に区分する。①②③の三つについては、都合一二のモデル（類型）があがる。④についても、四つあげるが、結局三つに絞ることになる（後述）。以下、概要を紹介し、のちにコメントする。

①「プロット化」：ノースロップ・フライ『批評の解剖』(*Anatomy of Criticism*, 1957）にしたがって、次の四つの類型に分ける。

・ロマンス（Romance）：英雄が経験世界の桎梏を超克し、解放者として帰還する型。

・悲劇（Tragedy）：人間のあいだの分裂を現実として突き出し、その克服を課題として示す型。
・喜劇（Comedy）：勝利と和解の希望を持続する型。
・風刺劇（Satire）：人間には救いなどないことを突きつける型。

②「論証形式」：歴史の説明に用いるモデルを四つあげる。分類はアメリカのプラグマティズムの流れを汲む哲学者、スティーブン・ペッパーの『世界仮説』（*World Hypotheses: A study in Evidence*, 1942）による。歴史観の大雑把なグループ分けと考えてよい。

・形式論的（Formist）：歴史の場のそれぞれの固有性を重んじ、調子や躍動感を重視するが、その反面、個々の事象の多様性を認めるため、分析的で拡散的になる。ヘルダー、カーライル、ミシュレらロマン主義的な歴史家及び歴史物語作家をあげる。
・機械論的（Mechanistic）：因果法則の解明に向かい、史料操作は還元主義に傾く。バックル、テーヌ、マルクス、トクヴィルら。
・有機体論的（Organicist）：国家や社会を有機体に見立て、統合的性格を強調する。歴史観は目的論的である。一九世紀半ばの「国民主義的」歴史家の大半、歴史哲学においては、ヘーゲルのような観念論者。
・コンテクスト主義的（Contextualist）：歴史の出来事を、その行為者や作用主体の機能の相関関係を探り、それを意味の関連する潮流として把握するが、領域に分けて編制するため、時代区分などはあいまいになる。ヘロドトス、ホイジンガ、ブルクハルトら。ただし、ホワイトは、一九世紀の歴史学のアカデミーでは個別事象に接近することと潮流を把握することが好まれ、「機械論的」「有機体論的」は観念類型であるため、異端として排除される傾向があり、形式論的とコンテクスト主義的論証法が優勢だったという。

③「イデオロギー的含意」(explanation by ideological implication)：②の論証形式の選択には、現在を生きる歴史家自身の倫理的態度によってイデオロギー的意味付与がなされるとし、カール・マンハイム『イデオロギーとユートピア』(*Ideologie und Utopie*, 1929)を参照して、歴史家の社会変革に対する選好志向を次の四つに分類する。

・アナーキズム(Anarchism)：共同体志向で歴史叙述は直観的。遠い過去を理想化。
・急進主義(Radicalism)：近未来の変革を志向し、歴史叙述は法則性に依拠。
・保守主義(Conservatism)：現在志向で、歴史叙述は有機体論的。
・自由主義(Liberalism)：遠い未来志向で、革命には楽観的。歴史叙述は発展観。

そして、以上の①②③に跨る類型間の親和性を次の一覧表にまとめている。

ロマンティック	形式論的	アナーキスト
悲劇的	機械論的	急進的
喜劇的	有機体論的	保守的
風刺劇的	コンテクスト主義的	自由主義

④歴史の説明の「深層意識の戦略」に、次の四つの比喩法(tropes)がはたらくとする。

・「隠喩」(metaphor)：基本的に一対一的な代理表象で、形式論的論証に対応。
・「換喩」(metonymy)：一部分で全体の表象に換える方法で、還元主義であり機械論に対応。
・「提喩」(synecdoche)：内在する性質に全体を象徴させる統合的な有機体論に対応。
・「アイロニー」(irony)：比喩法を超える否定表現。アイロニカルなことがリアリスティックであると認識されるなら、次々に、その否定が繰り返されることになるという。

ただし、ホワイトは、このうち、学者によって分類するかどうか議論が分かれる「換喩」(日本語では「桜」を「花」というように概念の上下関係に依拠する転義)と「提喩」(読み「手」で、読む「人」をいうように部分で全体を示す転義)をまとめて全体を三区分とし、[7] その三区分がそのまま、一九世紀西欧における歴史意識の三つの発展段階に該当するという。

・〈第1段階〉：一八世紀後期の啓蒙主義後期の理性的でアイロニカルな歴史意識がヘーゲルの歴史哲学によって隠喩的なものに橋渡しするよう模索されたとする。
・〈第2段階〉：一八三〇年から一八七〇年のあたりまでの「古典的」意識で、先に見たミシュレ、ランケ、トクヴィル、ブルクハルトの四人の「巨匠」をあげ、それぞれに①の「プロット化」の様式の四区分を配当している。そして、彼ら四人のそれぞれにとって「リアリスティック」とは、③のイデオロギー的意味の四区分に該当するという。

7 全体と部分も概念の上位と下位の関係にほかならず、一種の転義は区別できないし、区別すべきでないとする意見を論理的に否定できない。

・〈第3段階〉：その四つのイデオロギー的な意味をもつ「リアリズム」が成り立たなくなる「歴史主義の危機」を迎えた段階とし、マルクス、ニーチェ、クローチェの三人をあげ、彼らが前代の「リアリズム」を相対化するアイロニカルな懐疑論を展開したとし、それをもって一八世紀啓蒙主義晩期の相対主義的アイロニーへの回帰とする。

以上が「序論　歴史の詩学」の概略である。ここに『メタヒストリー』全体の趣旨と構図が示されていることになる。

4 その問題点

ホワイトは、歴史家が歴史事象を認識するにあたって、先行している形象のモデルのどれかを選ぶとし、まず、そのタイプを一二あげ、それとは別に三つの比喩（転義）法をあげているが、このホワイトの論法に違和を覚える人々も多いと想われる。歴史認識の方法を①-④と四つの位相に分け、そのうち①-③を四つに区分し、④もまずは四つに分類したのちに、三つにまとめている。このようなやり方は、日本ではあまりなじまれていない。が、アメリカの学会ではさして違和感はないのではないかと想う。というのは、アメリカ二〇世紀の社会学にかなりの影響を与えてきたタルコット・パーソンズに発する方式、社会システムの一般論の基礎の地を構造と機能の四象限の図表（グラフ）で構成し、ケース・スタディをその図表に落として、そのポジションを測る方式を模して、それぞれの位相に応じて類型を分類した表を四枚重ねたような構成だからだ。

だが、一九世紀西欧のいずれかの歴史家の叙述に馴染んだ人には、そのそれぞれを、これらの類型に当てはめることに疑義を感じると想う。個々の歴史家の歴史観や歴史叙述が、どれにもあたらないと感じたり、あるいは、二つのタイプの中間、ないしは重なりが認められたり、また、その生涯の時期によって変化が認められたりもするだろう。『メタヒストリー』が「難解」だといわれてきたのは、これらの類型に分類することがよく納得できないことが大きな理由ではないかと想われる。

わたしも一時代の思想傾向の分類に四象限の図式を用いることはある。それは、その時期の思想傾向が四象限に分類しうると判断される場合である。たとえば明治期思想界に、近代化⇕伝統保守、西洋化⇕日本主義ないし東洋主義という二軸を設定することにより、①西洋化すなわち近代化（福沢諭吉）、②日本主義ないし東洋主義に立つ近代化即ち伝統改良（坪内逍遥）、③西洋の伝統主義による反近代思想（内村鑑三）、④東洋主義の反近代思想（三宅雪嶺）などを一つの図に収めると相対的位置関係を一望できるようになる。坪内逍遥がなぜ、伝統改良かといえば、世態人情のありのままを説く『小説神髄』に本居宣長『源氏物語玉の小櫛』を引き、演劇批評に転じれば、近松門左衛門の精神を尋ねているからである。[8] 渋沢栄一なら、江戸時代の商人の気質によくなじんだ改良主義として、同じく第②象限の①④寄り、グラフの中心点に寄せて位置付けることになろう。私利を肥やすのではなく、天下国家のために用いる「そろばん」を説く思想は、『論語』の底に利得を求める人情を読み込んだ荻生徂徠系の

8 鈴木貞美『「日本文学」の成立』作品社、二〇〇九、第3章、p.181を参照。

操作に属し、[9] もし、それを中国の「才」(知恵)を日本流に使いこなす流れといってよければ、『源氏物語』〔少女〕にいう「大和魂」に、いや、さらに神・儒・仏・道(陰陽道)の四教を併存させる天武朝の宮廷設計にまで遡ることのできる「日本の伝統改良」の方法なのである。いま、立ち寄っている暇はないが、①③④も同じように外来思想を受け止める方法と操作の系譜を辿ることができる。

ところが、ホワイトがベースに置く四つの位相のうち、①②③のそれぞれにあげられている四類型は、一九世紀西欧の主要な価値観を基軸に置いた分類ではない。二〇世紀後半のアメリカ知識層がスタンダードとしてきた著作から選ばれたものであり、かつ、後述するようにホワイトによって改作されたところもある。したがって、この各項それぞれの分類基準にも疑義が生じるだろう。上から順に見てゆく。

①「プロット化」として、ホワイトはノースロップ・フライのあげる演劇形式の四類型を選好(preference)している。だが、民話のナラティヴ分析を先導したウラジーミル・プロップは、フォークテイルの構造としてプロットの運びを「初め－過程－結び」の三段階とした上で、その主導因(motif)によって三一の類型を抽出したのだった。それにならって歴史家による歴史の解説のナラティヴ分析を行うなら、そのストーリーの運びの主動因に着目して分類しなくてはならないはずなのだが、その作業がオミットされている。

ここにあげられた四類型の分け方にも吟味が必要だろう。悲劇性と滑稽感との相反する性格が混在する悲喜劇型(tragicomedy)を加えなくともよいのだろうか。一七世紀には一つの様式として認められ、

9 鈴木貞美『日本人の自然観』作品社、二〇一八、第9章2節を参照。

のちメロドラマの主流をなしたものである。ホワイトは、それをアイロニカルな諷刺劇に分類するかもしれないが、一九世紀への転換期のドイツでは、それが対極的理念の葛藤が自己破壊的緊張を孕んで展開するロマンティック・アイロニーと呼ばれる詩法や作劇法が盛んになる。この演劇の型と、ホワイトが④のレトリックの三類型のうちにあげるアイロニーとの関連も問われるだろう(ファルス〔笑劇〕については後述する)。

②の論証のしかたについて、ホワイトは、歴史学において、著者が論証様式を選好する根拠は認識論のレヴェルにはないとし、いわば歴史観のモデルが選択されることを前提にしている。ここにいう歴史の論証のしかたの四類型のうち、「形式論的」は、個々の時代の特徴を描きだすもので、古代ギリシャ各時代に「金の時代」「銀の時代」「鉄の時代」と表象をあてる方法に発して、ヴィクトリア朝、最大の思想家といわれるトマス・カーライルがイギリスの産業革命が一段落した一八三〇年頃、人間の手足が機械のようになり、また教会の組織も役割分担化した「機械の時代」の到来と見て、その人間疎外に呪詛を込めたエッセイ「時の徴」(Signs of the Time, 1829)を残していることなどを想えばわかりやすいだろう。これはレトリックとしては象徴であり、形式の上では個々の出来事の要因の相関関係を読み取ろうとする「コンテクスト主義」とは対立する。

カーライルはやがて、「機械の時代」の見方を深化させ、労働賃金が支配的になった社会と見なして、出発期のエンゲルスとマルクスに大きな影響を及ぼすことになる。ただし、カーライル自身は『英雄及び英雄崇拝について』(*On Heroes, Hero-Worship, and The Heroic in History*, 1841)をまとめた。「世界の歴史は英雄の歴史」という英雄史観の書と見なされてきたが、その根本モチーフは人間疎外の現状に対して、歴史を動かした人間の精神力の発揮を訴えるものだった。のち、ジョン・ラスキンが『建築の七灯』(*The Seven Lamps of Architecture*, 1849)で、建築労働者の「真の生命」が建築の美をつくると論じたり、二〇世紀への転換期に、ウィリアム・モリスがアーツ・アンド・クラフト運動や生活のなかに芸術をもたらすための社会主義思想を論じたりするところに受け継がれてゆく。[10] カーライルの英雄史観は疎外論に立つものだったという批評の転換や、のちの歴史観への影響まで勘案する余地は、ホワイトの類型分類の方法には残されていないようだ。

ところで、「形式論」も「コンテクスト主義」も、家族や民族を生命体に見立て、その全体によって生命が維持・発展するという思考法に立つ「有機体論的」とも、歴史を構成する実体を要素に還元し、それらの物理的に運動によって歴史がつくられるとする考えに立つ「機械論的」とも位相がちがう。それゆえ「有機体論」も「機械論」も、「形式論的」に運用することも、「コンテクスト主義的」に運用することもできる。実際、ホワイトは「コンテクスト主義」について、その分析的な操作においては、形式論の「拡散的」傾向と有機体論の「統合的」傾向の二つの衝動が結びつくとしている。つまり、この論証形式の四類型では、個々の歴史家の思想を分類できないといっているに等しい。

そして、ホワイトは、一九世紀の歴史学においては、機械論や有機体論は異端として考えられていたという。なぜなら、それらを手続きから排除することによってのみ、歴史学を神話や宗教、形而上

10　鈴木貞美『近代の超克—その戦前・戦中・戦後』作品社、二〇一五、第1章を参照。

学から解放することができると信じられており、歴史家自身が形式論やコンテクスト主義を自分に課すことによって、「経験的なもの」のなかにとどまり、やっかいな「歴史哲学」にはまりこんでしまうことを回避することができると考えられていたというのだ。とはいえ、「歴史学はそもそも厳密な学ではないのだからこそ、たとえ有機体論や機械論を排除したとしても、それだけでは自動的に科学性が高まるなどということはない」と。[11] 有機体論や機械論は、神話や宗教、また形而上学と親和性があるため、遠ざけられたことになるが、これは、はたして本当だろうか。

イギリスのヘンリー・トマス・バックルの『イギリスにおける文明の歴史』(*History of Civilization in England*)は、結局、構想だけに終わったが、その序説において「著者の方法論の原理」および「人間の進歩の道筋を決定する一般的な法則」を目指すとしている。この原理や法則を求める姿勢によって、ホワイトはバックルを「機械論」に分類しているのだろうが、その実際は、神学的な予定説の命題は不毛であり、形而上学の自由な命題は誤った信念を導くとし、それらを避けるために「事実の包括的調査」とその「算術的な平均」を求めることが必要であると説いている。「算術的な平均」は、法令の行きわたる程度などを裁判記録などの統計資料から知ることができること、社会全体の一般的な傾向を析出するくらいの意味である。それゆえ、バックルは、実証的研究による「科学としての歴史」を志向していたと評価されてきたのである。むろん、そののち、その統計的手法を厳密にする工夫が重ねられてきたことはいうまでもないが、バックルは、イギリス実証主義史学の「パラダイム」の祖型をつくったこと

11 岩崎稔監訳版、前掲書、p.78。

にならないのだろうか。その姿勢を機械論とし、西欧一九世紀の歴史観の異端としてよいとは、とうてい思えないのだが。

もう一人、ホワイトが機械論に分類しているドイツのレオポルト・フォン・ランケは、ヘーゲルの観念論を批判し、その国家有機体論を拒絶して、文献実証主義に立って歴史事象の再構成に向かう方向を提示し、一九世紀ドイツの指導的歴史家という定評を得ている。これもまた「パラダイム」の祖型と評されよう。そして、その方法は、ホワイト自身、『メタヒストリー』第2部で一九世紀中期の四つのリアリズムの一つにあげており、異端と位置づけていない。いったい、どういうことなのか。

ところが他方、ランケは、歴史の諸段階は神の光に照らされているといい、歴史の主動因はモラリッシェ・エネルギーにあると述べてもいる。このキリスト教神学と歴史の発展段階論とを組み合わせた形而上学が、ただひたすら歴史事象を再構成することにかけた彼の志向を支えていたのだった。[12] ランケの歴史叙述、たとえば彼がフランスの百年戦争を書いた歴史叙述には、実証主義的リアリズムと神学的観念世界とが重なっている。その意味では、ランケの歴史叙述の方法をいうには、ノースロップ・フライが自身で開発したレトリック、具体的事物の集積のヴィジョンの上にヴィジョンを重ねるダブル・ヴィジョンがふさわしいようにも想える。ただし、ノースロップ・フライのそれはキリスト教のそれではなく、秘教的なウィリアム・ブレイクの世界から着想されもの。また『ダブル・ヴィジョン』(*The Double Vision of Language, Nature, Time, and God*, 1991) がまとめられたのは、ホワイト『メタヒストリー』

12 本稿第1章（iichiko,No.153, p.108）を参照。

リー』の刊行よりのちのことだった。著者の手持ちの類型より、ふさわしいパターンがのちに開発されることもあるし、過去のできごとに対する評価に変化が起こるのは歴史を扱う際の常ではあるが、歴史観についても同じである。

それはともかく、歴史の語り方として実証主義を項目として立てず、志向の異なるランケとバックルとを同じく機械論に分類することに、はたして有効性が認められるだろうか。一九世紀の実証主義を経験的世界の事実を事実として扱おうとする態度とし、だが、バックルとランケとは異なる道に立っていたと考えることはできないのだろうか。よく、検討してみたい。

要するに、一九世紀西欧の歴史学では、有機体論や機械論は、歴史哲学の闇に迷い込まないようにするため、遠ざけられたというホワイトの判断は、個々の歴史家のモチーフを内在的にとらえたものではなく、表面的近似性を外在的にとらえて類型に分けているにすぎない。実践的有効性を重んじるアメリカのプラグマティズムの流れに立つスティーブン・ペッパーが『世界仮説』にいう「機能的文脈」による分類が、個々人の歴史観の内在的な契機を軽んじていたとは、とうてい、わたしには思えないのだが。

類型の分類の仕方の妥当性とは別に、事実の包括的集積により、また文献により、出来事の実際に就く志向を示していても、歴史学においては、自然科学と異なり認識論の共通基盤がないゆえ、「それだけでは自動的に科学性が高まるなどということはない」とホワイトは主張しているに等しい。このような裁断によって、たとえばバックルが統計や算術を持ち出して歴史学の「科学」的方法と称していることなど見向きもされない。歴史学の方法の開発志向のうちに、自然科学との類比があった可能性を想ってみてもいない。これは、歴史についての論述を、意識的ないし無意識的に類比(analogy)というレトリックがはたらく言語構築物として捉える態度とはいえないだろう。

歴史の見方としての有機体論も機械論も、もとより類比の論理操作によるものだが、一八世紀の啓蒙主義によって原子論的ないしは機械論的な自然法思想に立つ国家論が拡がったのに対し、一九世紀には、国家=社会を有機体に見る思想がとりわけドイツとイギリスで興隆したことは、われわれには常識だろう。われわれには、というのは、日本の明治後期に、国家有機体説をとるドイツのヨハン・カスパル・プルンチュリの主著『一般国法学』(*Allgemeines Staatsrecht*,1851-52)が官僚層に浸透し、大正デモクラシーの基盤になったことや、オットー・フォン・ギールケらゲルマニステンの国法学、またイギリスのハーバート・スペンサーが文明進化論に立って社会有機体論を鼓吹したのもかなりの影響を及ぼしていたからだ。一九世紀リアリズムは機械論や有機体論を退けたというホワイトの論拠が何に由来するのか判然としないが、要するに、ナラティヴにおけるリアリズムが実はさまざまな観念類型と結びつきやすいことが了解できていないのかもしれない。これについてもよく考えてみたい。

③のイデオロギー性の類型の分類に参照されているマンハイムの『イデオロギーとユートピア』は、二〇世紀前半の世界史的危機の時代に立って、イデオロギーを「官僚主義的保守主義」「保守主義的歴史主義」「自由主義 - 民主主義的市民思想」「社会主義 - 共産主義的観念」「ファシズム」の五つの類型に分けていた。なお、マンハイムは、マルクス主義が「イデオロギー」を虚偽の意識としていたことを、いわばもとの観念形態ないし体系の意味に戻して用いていた。

ホワイトは、一九世紀の歴史家の論述に用いるため、そのマンハイムの五類型から「ファシズム」を外し、保守主義から国家官僚指導型の性格を抜いて、「保守主義的歴史主義」と一つにまとめるなど実質的に改作した四類型を提示しているが、この四つの分類基準もかなりあいまいなものといわざるをえない。マンハイムのいう「社会主義」は、ほぼ「マルクス・レーニン主義」を指しており、タテマエ上、社会を再組織化し、最終的に国家の廃絶を目指す思想だった。が、ホワイトは、それを「社会」を廃棄し、原始共産主義への回帰志向に単純化している。

また、実のところ、一九世紀におけるアナーキズム(無政府主義)は多様に展開した。一九世紀はじめのイギリスにおけるラッダイト運動など機械化の進展に抗う暴力闘争もあったし、政治に背をむけた多彩な宗教・文化・経済団体の運動もあった。したがって、それらは自由主義とかなりの重なりをもち、また「急進的」にも「保守的」にも展開し、その思想的・組織的影響は二〇世紀のアメリカにもさまざまに残っていた。これはホワイトの知識不足といわざるをえない。

以上を要するに、ヘイドン・ホワイト『メタヒストリー』は、歴史家の歴史の説明の仕方を分析し、それらを類型に分けているようでありながら、実際には、個々の説明には踏み込まず、したがって実際の歴史のナラティヴにはたらいているレトリックではなく、外在的に、それらの近似的な特徴を分類することに力を注いでいた。それゆえ、①-③のうちの四類型それぞれの分類基準、そのあいだの関係にもかなり論議の余地を残していた。

①-③は、歴史家自身が論述の際に選ぶ形象(figure)のタイプによる分類とされているが、①は演劇の

類型であり、文芸のレトリックである。②の論証形式のうち、機械論的と有機体論的は物理学と生物学説との類比によるものがはっきりしている。③は、内容上のイデオロギー性についてのホワイト自身による類比的な分類である。そして④において、それらとは別に、根柢に無意識のレトリックがはたらくとされている。だが、①②のうちの類比が、それぞれの歴史の著者に無意識裡にはたらかないとは限らないし、それと④との関係も整理されていない。

その④のレトリックは、①-③の分類とは大きく次元を異にし、歴史の論述の根柢に無意識にはたらくものとされている。が、先にふれたように①-③中の類型と重なりが問題になる場合も生じるし、このレトリックの三分類にも疑義が生じるだろう。

比喩(tropes)のうち、「隠喩」(metaphors)、「換喩」(metonymy) および「提喩」(synecdoche)を類比(analogy)にまとめるなら、「アイロニー」(irony, 反語ないし逆接)は対立項になる。また類比には、直喩(similes)もあるし、寓喩(allegory)や象徴(symbol)を加える場合もある。さらには、物事の説明法には、ディアレクティック(dialectic, 弁証法)や位相(dimension)を転換する論理操作も加わる。ホワイトには、こうしたことへの配慮が見られない(後述する)。

そして、ホワイトは、西欧一九世紀の歴史家による歴史の説明の展開を前期、中期、後期に分け、そのレトリックの三段階、「隠喩」「換喩ないし提喩」「アイロニー」をそれぞれに配当している。一九世紀前期の歴史観を一八世紀啓蒙主義晩期の「アイロニー」から「隠喩」への展開と論じ、一九世紀後期のそれは、一八世紀啓蒙主義晩期に帰り、円環的に閉じたと結論する。まるで、一九世紀西欧における歴史家の説明の方法の展開をストーリーに見たてて、「初め－中－終わり」の公式、さらには「歴史は繰り返す」というスキームにアテハメているかのようだ。

したがって、それが二〇世紀の歴史主義に展開したことを展望することもない。これは彼が円環図式を好んでいることをよく示していよう。一八世紀後期の啓蒙主義晩期の展開として、一九世紀の歴史家の歴史の論述の仕方を論じた以上、一九世紀後期のそれが二〇世紀にいかに展開したか、その展望を開く姿勢を示さなければ、形式的にも不統一となろう。

もう一ついえば、ここに挙げられている歴史家の範疇がはっきりしない。たとえば②の機械論のうちに、イポリット・テーヌが例示されている。ここで、念頭においているのは、サント・ブーブの実証主義、すなわち作家の環境に還元する文芸批評を尊重し、その還元先を一挙に、人種・環境（風土と社会構造）・時代の三要素に拡大した決定論的分析方法で知られる『イギリス文学史』(*Histoire de la littérature anglaise*, 4vols. 1863) と想われる。あるいは『芸術哲学』(*Philosophie de l'art*, 1882) をふくめてもよいかもしれないが、だが、もしテーヌをいわゆる歴史家と呼ぶなら、フランスが対プロシャ戦争（一八七〇～七一年）に敗北したのち、彼が急速に政治史にのめり込んで著した大作、『近代フランスの起源』(*Les Origines de la France contemporaine*) を逸するわけにはいかない。その『旧制時代論』(*L'Ancien Régime*, 2vols. 1876) 及び『仏蘭西革命史』(*Revolution 1878–85*, 2vols. 1878) は、守旧派的立場を鮮明にして方法も転換、フランスの衰退の原因をルソーの思想に求めて、一七八九年革命から一七九三年のテルミドール反動までを一連の動きとして描き出し、当時のアカデミアで好評を博したが、史料の選択が一方的で、二〇世紀にはほとんど相手にされなくなっていた。『メタヒストリー』の場合、「歴史家」の選び方があいまい、ないし恣意的といわざるをえない。ホワイトが、もし、文芸史や美術史を扱うのであれば、法学史や経済史などへの目配りも必要になろう。むろん、どのような考察も限定をかけなければ、拡散するしかないが、「ないものねだり」でいうのではない。なぜなら、一九世紀ヨーロッパの諸分野の歴史的想像力は、ホワイトの選択をはるかに超えた相貌を見せているからである。次節から、その一端に徐々にふれてゆくことになろう。

5 啓蒙主義をめぐって

次に、『メタヒストリー』第1部「受け入れられた伝統―啓蒙と歴史意識の問題」で扱われている問題について一瞥しておこう。その第1章「隠喩とアイロニーのはざまの歴史的想像力」で一八世紀後期の啓蒙思想を扱い、第2章を「ヘーゲル―歴史の詩学とアイロニーを超える方法」としている。第1章は、むしろ雄弁に感じるほどの筆致で展開されているが、わたしは啓蒙思想の隅々に通じているわけでもなく、なかなか得心がゆくにはいたらない。というのも、一つには啓蒙思想とキリスト教神学との関係にもうひとつはっきりしないところが残っているからだ。たとえば、『歴史批評辞典』(*Dictionnaire historique et critique*, 1769)で、該博な知識と卓抜な批判精神を発揮したピエール・ベールは、かつてフランス語圏において、神学的歴史観に疑問を投げた啓蒙思想家とされていた。が、今日ではカルヴィニストであり、『歴史批評辞典』も、むしろ改革教会派内の論争を扱った気味が強い書と評されている。このような評価替えも起きている。

フランス啓蒙思想を代表するヴォルテールは、イギリス経験論哲学にふれて、人間の理性に信頼を寄せ、『旧約聖書』の物語および『聖書』中心の歴史観を、世界や人類の認識が地理的に拡大したことなども含め、あの手この手で転覆するエッセイで活躍した。それが理神論（狭義の有神論〔deism〕）の立場、言い換えれば、己れの理性が創造主から与えられたものであることを前提にする限り、彼が開陳した、いかなる世界認識もアイロニカルなしくみにならざるをえないことは了解しやすいだろう。が、彼が経験主義から無神論への傾斜を強めていったのもたしかなのだ。

トマス・ホッブス、ないしはジョン・ロックにはじまるイギリス経験主義哲学は、明らかに絶対的超越神の存在をカッコに入れて問わない方向に展開した。キリスト教でいう『旧約聖書』に記されているとおり、ノアの箱舟がコーカサスのアララト山に降りたのだとすれば、それに載せられていた動物たちが、いつにしろ、大西洋か太平洋を泳いで渡っていかない限り、その子孫と思しい動物の骨がアメリカ大陸で発見されるはずはない。そんなことは起りえなかったことくらい、一八世紀には、イギリスの神父でも牧師でも承知していたが、それは問題にされることはなかった、とバートランド・ラッセル『宗教と科学』(*Religion and Science*, 1935)は述べている。自然科学の発展と信仰の問題は正面からぶつかりあうことなく、『旧約』の物語を「神話」のように扱う態度が少しずつ広がっていたと言い換えてもよいだろう。当然、それは歴史観にも大きな変化を生んでゆくが、当面、神の問題はいわばカッコに入れて問わない方向が拡大していったのである。

ここでホワイトは「隠喩とアイロニーのはざまの歴史的想像力」という構図で一八世紀の歴史観をま

とめようとしているが、そもそも啓蒙思想も経験主義哲学も必ずしもメタファーから出発しているわけではない。ホワイトは一八世紀の大陸の哲学、端的には、ゴットフリート・ライプニッツのモナドロジーの思考法を提喩（シネクドキ）と見なし、[13]また啓蒙思想が悲劇にも喜劇にも傑作を生まず、諷刺劇を活発化させたことなどにアイロニカルな精神を見て、それを換喩（メトミニー）と見ている。序章の④では、この二つの比喩法が統合されていたが、ここでは区別されている。が、この提喩は誤用に属するだろうし、換喩としていることには誤解も伴っているようだ。

ライプニッツのモナドは普遍性を宿した世界の原基となる単位で、その一つ一つが展開して世界を形成する。歴史観としては、絶対的超越神によって予定調和に導かれる楽観的なそれである。不幸や不合理なことが現実にあっても、それらには理由があり、不合理も、いわば神の合理のうちと考え、最終的には最善となるように企画されているとする。したがってモナドは、一つで全体を表し、いってみれば、どこまでも転義しない単体である。

比喩はそもそも語義を転換するレトリックであり、提喩は、全体のうちの特殊ないし一部分をもって全体を示す比喩法である。ライプニッツの論法では転義しないはずのモナドを、転義を含意する提喩として扱うのはホワイトの操作である。

ここでアリストテレスが説得術を展開した『弁論術』(*Technē Rhētorikē*)において、ロゴス(logos)にかかわる推論を弁証術(ディアレクティケー dialektike)として主軸に据え、聴き手の感情(pathos)に訴え、感動さ

13　岩崎稔監訳版、前掲書、p.136。

せる技術や話者の人柄に関することとは分けて論じていたのを想い出しておこう。ホワイトのいう歴史の説明の詩的・言語論的分析には、相手の推論的（ディアレクティック）なレトリックを、いわば感情に訴える文芸レトリックないしは無意識にはたらくものとする傾きが強い。これには、アリストテレスが論証法にいう「メタバシス」(metabasis)、論者の寄って立つ基盤の踏み換えによる誤謬が含まれているようだ。

他方、ホワイトは、ニュートン力学に導かれた合理主義の概念に支配された啓蒙思想は、歴史の場を因果率の貫く基盤として解釈しようとするもので、理性の力と非理性的な力の対立抗争の場としてアイロニカルな世界理解になったと述べている。[14] だが、先にもふれたが、ニュートンは『プリンピキア』第二版「ゼネラル・ノート」で絶対的超越神に導かれていることを表明していた。それにしたがう限り、その物理学の世界も、いわば理神論的な世界だったのである。そのような理解なら、歴史の場も究極的には絶対的超越神の理性の支配するものと考えるライプニッツの合理主義と抵触しないし、スピノザ的汎神論やネオ・プラトニズムも同様である。

信仰の対象である絶対的超越神を哲学的思惟の対象として最初に「絶対者」と呼び換えたのは、ヨハン・ゴットリープ・フィヒテだが、彼も、とくに後期にはネオ・プラトニズムに接近し、生命一元論的な立場、その意味での合理主義を強めた（後述）。つまりは、合理主義に立つ人がみな、対立を孕むアイロニカルな世界観、歴史観の持ち主だったことにはならない。その内に分岐が見られると考えてよい。

14 同前、p.142–143。

それについては、ヘーゲルが『精神現象学』(*Phänomenologie des Geistes*, 1807)〔VI 精神 B 疎外された精神 2b 啓蒙思想の真実〕で、一八世紀西欧の啓蒙思想を図式的に二分し、かつ、自分はそのどちらにも属さないことを表明しているので紹介しておこう。啓蒙思想には、彼岸に絶対の存在を想定して神とする一派と感覚的存在である「物質」を絶対神とする一派(唯物論)があるが、彼らはともに、「我思う、すなわち、我あり」と論じたデカルトの概念に至ることはない、という。[15] 啓蒙思想を理神論への傾斜と唯物論への傾斜に二分し、それらは、思惟する主体を、すなわち自我とする立場はとれないといっている。ヘーゲルはデカルトの形而上学を「『考える』主体をすなわち存在とする」考えだったと解釈していたのだった。

このヘーゲルの見取り図は、啓蒙思想を片や理神論、片や唯物論に接近する二つの傾向と見て、それらからフィヒテやヘーゲルら世界の最上位に理性をおくドイツ観念論(理想主義)の流れを分岐させることになる。この三方向の構図なら、わたしにもすっきり了解できる。むろん、それぞれの歴史観も同様である。

感覚的存在である「物質」に接近していったイギリス経験主義哲学の流れは、デイヴィッド・ヒュームのように人間の認識の限界を見極めようとする、その意味でアイロニカルな姿勢をとったと考えてよいが、このアイロニーも、換喩すなわち概念の上下を入れ替えて転義する比喩ではない。もし、ヒューム的懐疑主義への流れを換喩的アイロニーとするなら、それも「メタバシス」、足場の踏み換えとなろう。

15 ヘーゲル『精神現象学』長谷川宏訳、作品社、一九九八、p.394。

ホワイト『メタヒストリー』第1部第1章は、そのあと、メタファーとアイロニーの構図をはなれ、物語的な想像力に向かう歴史意識の表れとしてヨハン・ゴットフリート・ヘルダーに関心を向けてゆく。だが、その前に、わたしは一八世紀後期ドイツ語圏の啓蒙思想の代表者、ゴットホルト・エフライム・レッシングに立ち寄っておきたい。その『賢者ナータン』(*Nathan der Weise*, 1779刊行、1783初演)は、ユダヤ教、キリスト教、イスラムの三つ巴を解決する寛容思想(Tolerance)を説く詩劇である。ノースロップ・フライの演劇形式の類型には含まれていなかったメタファー劇と評することもできるだろうし、広く宗教史の問題でもある。

レッシングはまた『ラオコーン』(*Laokoon*, 1766)で、ヨハン・ヨアヒム・ヴィンケルマンの『ギリシャ芸術模倣論』(*Gedanken über die Nachahmung der griechischen Werke in der Malerei und Bildhauerkunst*, 1755)のラオコーン論を転覆し、彫刻、すなわち視覚芸術は、時間の流れを寸断するところに成立すると説いた。これは、ギリシャ古典の芸術ジャンルを分断する企てであり、普遍性をもつはずの理性についての考えを揺さぶった。この静止している形象にこそ激情がこもると見るアイロニカルな解釈は、芸術史の上では、ドイツのロマンティック・アイロニーに展開し、また二〇世紀前半のイギリス・モダニズムの一つ、渦派(ボルティシズム)とも類縁性が深い。アイロニーがナラティヴにおいて重要な位置を占めることはいうまでもない。レッシングの『賢者ナータン』は歴史劇ではなく、『ラオコーン』は美術史上の問題で、歴史家の歴史観や歴史叙述ではないので、ホワイトは除外したのだろうが、ここには「歴史的想像力」の範囲をどこまでとするか、という問題も伏在していよう。

さて、ホワイトは、ヘルダーが『言語起源論』(*Abhandlung über den Ursprung der Sprache*, 1772)で天賦言語論を徹底的に批判したことを高く評価する。歴史の説明の分析に言語学的要素を重視する立場ゆえだが、そのヘルダーの言語観については、啓蒙主義哲学期の特徴であるはずのメタファーもアイロニカルな論理構成も備えていないことを、むしろそれらへの叛乱とし、人間の歴史の射程を物語に伸ばしたところにロマン主義への接近を見る。そして、そのヒントをヘルダーに与えたジャンバッティスタ・ヴィーコにもふれている。ヴィーコは、のちにベネデット・クローチェが高く評価するので、『メタヒストリー』第4章にも響く。が、ここでは、ヘルダーについてはあとにまわし、次に、『メタヒストリー』の構成にかかわる問題として第1部第2章「ヘーゲル―歴史の詩学とアイロニーを超える方法」についてコメントしておきたい。

6　ヘーゲルをめぐって

まっさきにわたしたちの目に飛び込んでくる知は、直接の知、直接目の前にあるものを知ること以外にはありえない。この知を前にして、わたしたちは、目の前の事態をそのまま受けとる以外にはなく、示された対象になんの変更も加えず、そこに概念をもちこんだりしてはならない。[16]

事物そのものに向かう姿勢を強調するこの文章は、われわれは脳が白紙の状態で事物と対峙すると

16 ヘーゲル『精神現象学』長谷川宏訳、前掲書、P.66。

述べたジョン・ロックの言を批判し、われわれの脳には予め事物にアプローチするための10のカテゴリーが備わっているといったカントの言をも批判しているように想えるだろう。これはヘーゲル『精神現象学』(A 意識 I感覚的確信——「目の前のこれ」と「思い込み」)の冒頭である。ヘーゲルもまた、われわれの認識は感覚を出発点にしてはじまると考えていた。先に我々は、同じ『精神現象学』から、ヘーゲルが啓蒙思想を理神論と唯物論の二傾向に分け、それをともに否定する言辞を見ておいたが、ヘーゲルは、ここから経験主義にも赴かずに、絶対理性の君臨する哲学体系を築いてゆく。

ヘイドン・ホワイトは、ヘーゲルが『歴史哲学講義』(*Vollesungen über die philosophi der Geschichte*, 1840)に先立ち、『美学講義』(*Vorlesungen über die Ästhetik*, 1835)で、ギリシャ演劇を論じていると述べている。『メタヒストリー』全体の構図は、このヘーゲルの展開によって、一九世紀の歴史的想像力が演劇の四類型に導かれるようになったと説明されているように想われもする。だが、ヘーゲルにおいて、美学と歴史哲学はあくまで対象を異にする二分野であった。では、ヘーゲルにおいて歴史論と演劇形式とは、どのように橋渡しされているのか。その関連、あるいはその他の分野における歴史的想像力との関連を、ごく簡単に見ておきたい。

ヘーゲル『美学講義』において示される彫刻史の見取り図は、よく知られるように、古代アジア - 古代ギリシャ - ロマン主義およびキリスト教美術の三段階で示され、それぞれ、観念が形態を圧倒する「グロテスク」、観念と形態の釣り合った最も芸術らしい芸術、観念が形態を支配する段階とされる。古代アジアは、具体的に地域に言及していないが、エジプトが想定されているようだ。この彫刻における観念と形態の関係による三段階は、地域と時代を異にし、直接の連続性をもたないが、ヘーゲルは、それらを発展段階論的に見ている。

ヘーゲルは、古代ギリシャの演劇における人倫観も、自然感情と理性とが一定の調和を得た段階とする。たとえば、ソポクレースの悲劇『アンチゴネー』(*Antigonē*)で、アンチゴネーは、王に葬儀を禁じられた国家への反逆者である兄の遺骸に砂をかけて弔いの代わりにする。批評家の多くは、そこに王によって葬儀を禁止されてもなお、遺骸に砂をかけるという代償行為を行わずにはいられなかったアンチゴネーの引き裂かれた心情を、そして、それに託された劇作家の意図を読みとってきた。が、ヘーゲルは、そこに自然感情にもとづく家族愛と国家の板挟みとなった悲劇の主題を見出しながら、国家優位の観念の発展過程を読みとっている。これは、自然より人為を優位におく、彼の国家観、また、その進歩発展史観に引きずられた、その意味で恣意的な読み方と断じてよい。彼の『アンチゴネー』の読み方は、明らかに自身の理想に導かれていた。言い換えると、悲劇の読み方も立場によってさまざまに傾き、ホワイトのいうように、歴史的想像力の類型を規定するとはいえないのではないか、という疑問が湧く。

それはともかく、『美学講義』中、ヘーゲルの哲学の主題としては、これもよく知られているように、ギリシャ古典の叙事詩(epic)に「自由」の問題が論じられている。専制君主が自由を独占する段階とは異なり、『イーリアス』に活躍する複数の英雄(半神半人)たちが全き自由をもっていることに着目し、その自由はヨーロッパ中世の騎士道物語に受け継がれているとする。それは『美学講義』中では展開されることはないが、ドイツの市民社会において実現されるべき自由の観念の前段階となるものだった。つまり、ヘーゲルの芸術史観は、そのジャンルとテーマにおいてズレをもっていた。が、その論法は発展段階論で、それによって、はじめて彼の、いわゆる歴史観との関連がつく。

ヘーゲルの歴史観は、ホワイトもいうように有機体論的である。その「国家＝社会」を生命体（有機体）に見たてる比喩（論理的にはアナロジー）の借りどころは、プラトン『国家』(Πολιτεία)や中世スコラ哲学よりも、ルソー『社会契約論』(*Du Contrat Social ou Principes du droit politique*, 1762)だった。ヘーゲルは『哲学史講義』(*Vorlesungen über die Geschichte der Philosophie*, 1833-1836, S.413)で、ルソーの説いた「自由意志」がイマヌエル・カントによって哲学化され、またフィヒテの自然哲学に別様に受け継がれたことを述べており、それは明示されている。ただし、ルソーは、そこで、あくまで比喩だとことわりながら、国家を人体に喩えている。

つまり、ヘーゲルがあるべきと考える「国家＝社会」観は発展段階論に支えられ、かつ「自由」を求めるルソーのロマンティックな観念と身体の比喩を借りて、それを生命体（有機体）に置き換える概念操作によって形づくられたものだった。そこには古代ギリシャ美術に彼が見出した調和の観念が活かされ、カントとフィヒテのそれぞれ意味の異なる「自由」も生命体の調和に統合されている。同一水準におけば対立し、アイロニーとなる関係を、ヘーゲルは概念の位相を転換することで解消する。この論理操作がヘーゲルのディアレクティック（弁証法）と呼ばれる。[17]

17 ヘーゲル『（大）論理学』(*Wissenschaft der Logik*, 1812-16) などから、その弁証法を方法として切り出すことはできないと個々人の自由の対立は、生命体という位相に移されることにより、調和の関係に置かれるわけだが、それは概念の上下関係に依存して転義する「換喩」とも、部分で全体を示す「提喩」とも異なる。ところが、ヘイドン・ホワイトの文芸レトリック寄りの論法では、この論理的な概念操作を「隠喩」に括ってしまう。これはホワイト自身の概念操作にほかならない。

ヘーゲルの「生命」は、彼の先行者の一人、フィヒテのそれと比べて見ると体系内の位置のちがいがよくわかる。フィヒテの後期哲学、日本でもよく読まれた『浄福なる生への指教、もしくは宗教論』(*Die Anweisung zum seligen Leben oder auch die Religionslehre*, 1806)は、ネオ・プラトニズムが説く、唯一者から流出した生命の観念を受け取ったような汎生命主義に似た地上の生活の倫理を説く著作だが、それに比して、ヘーゲルの場合、よく知られるように最上位に君臨するのは「絶対理性」であり、その下に「理念」、さらにその下位に「生命」が置かれる。『(大)論理学』(*Wissenschaft der Logik*, 1812-16)〔第三篇　理念第一章　生命〕では、それ自身が世界の目的とされる「理念」の、最も原初的な存在形態が「生命」とされている。その「生命」は、それ自身が価値をもち、もともと自ら維持発展する衝動をもっており、「どこまで行っても生命」であるとされる。つまり「生命」は理念の現れとして無限の拡がりをもち、その内部に分類をもたない。だが、「生命的個体」の運動発展の過程には「感受性」すなわち主体の主客未分の段階、「興奮性」すなわち外界の刺戟に反応する段階、「再生産」すなわち自己意識の再統一、自己回復の

いう議論がさまざまになされてきたが、それには与しない。その理解がエンゲルス流など俗流に流れることには批判を向けるが、論理操作の方法を方法として抽出して吟味することは、読者の批評的操作として認めるべきであろう。

段階の三段階が設定される。さらに、この「生命」の第一過程に次いで、「生命的個体」が自己目的をまっとうするために、他の個体と「目的協同体」をかたちづくる過程が第二過程とされ、「類」の概念が設定される。そして、個体の死を媒介にして類を生かす「生命」の自己矛盾（個体の死が同類の生命を養う）と、個体として直接現れる「理念」と個体を超える普遍的な「理念」との関係を説いて、ヘーゲルは普遍的な理念を「善」とする。[18]

つまりは後期フィヒテの世界を、概念間の関係を緻密化して組み立てなおしているようなものだ。このヘーゲルの「生命」概念が「国家＝社会」論に展開すると民族概念と等値され、「民族の生命」の生成発展過程を見る歴史観になる。この観念がヨハン・カスパル・ブルンチュリやオットー・フォン・ギールケらドイツ国法学者に受け継がれてゆく（先にふれた）。が、それ以前、一九世紀初頭のドイツでは、国法学と経済学に「歴史主義」を名のる潮流が台頭していた。とりわけ、フリードリヒ・カール・フォン・サヴィニーは、法を民族言語（Vorkssprache）と同じく「民族精神」（Volksgeist）の発露と見、民族の歴史とともに自から発展するものと唱えていた。いうまでもなく、ナポレオン・ボナパルトのドイツ占領

18 一九三〇年代の日本でデュルタイらドイツの「生の哲学」が流行したとき、西田幾多郎は、「生の哲学について」（一九三二）の冒頭で、その淵源はヘーゲルに見出せるという意味のことを述べている。ただし、ドイツの「生の哲学」は、芸術論の流れにおいては、ドイツ・ロマン派の動きをリードしたフリードリッヒ・シュレーゲルが、晩年、カトリックに改宗したのち、論理的な両極を孕むロマンティック・イロニーを、いわば生命（生活）一元論に均したような『生の哲学』（*Philosophie des Lebens*, 1828）を著しているのが淵源といえよう。また、その二〇世紀における展開は、ハインリッヒ・リッケルトらの生物学的生命を根本におく思想、すなわち“Biologismus”（生物学主義）の流れもあった。

に対抗するドイツ・ナショナリズムの勃興に棹さす姿勢だった。ただし、サヴィニーは、ギールケらいわゆるゲルマニステンとは相違し、古代ローマ法を近代的に鍛え、発展させる途をとった。ここには、ある意味で、ヘーゲルの発展段階論が応用されている。

このように見てくると、ルソーに発する「自由意志」を基礎にするロマンティックな民族国家観は、カントやフィヒテを経てヘーゲルの民族生命体論に吸収され、さらにドイツの国法学へと展開し、ディルタイに至る系譜を辿ることになる（後述する）。繰り返すが、ルソーは直喩で国民国家を人体にたとえていたが、ヘーゲルの国家有機体論では隠喩化され、生命体に転換されていた。こうして比喩は、学術一般に明示的ないし意識的にも暗黙的ないし無意識的にも用いられるが、概念操作を媒介として、諸分野の歴史的想像力にはたらきつづけることになる。比喩など文芸レトリックによる転義も思考を規定するが、転義は論理的な概念操作によっても起こる。ルソーによる人体の直喩（頭や手足）は、ヘーゲルでは生命体の暗喩に置き換えられ、臓器や細胞に置き換えられてしまう。比喩が歴史学にはたらく際にも、論理操作を伴うことに意を注げば、思考法の継承関係と概念の組み換えの関係がよく見えてくるだろう。

先にもふれたが、ヘイドン・ホワイトは、キリスト教神学の「天賦言語」説を否定して、人間にとっての言語の意義を説いたヘルダーの哲学に啓蒙主義への叛乱という意味を与えていた。ヘルダーは『人類歴史哲学考』（*Auch eine Philosophie der Geschichte zur Bildung der Menschheit*, 1774-91 未刊）では、カントがアリストテレスから引き継いだカテゴリーのア・プリオリもマヤカシと退けていた。これは、神学も観念論哲学も受けつけない実証主義への接近と見てよいし、見るべきだろう。そして、彼は『民謡集』(Volklieder, 1778/79)を刊行し、一九世紀への転換期におけるフォークロアの採集の動き――インド-ゲルマンの流れを強調するグリム兄弟によるメルヒェン(昔話)集(*Kinder- und Hausmärchen*, 1812-, 7th 1857)の刊行に代表されるそれ――を先導した。つまり、ヘルダーの人間中心主義は民族言語への関心に展開したが、これは同じ政治的要因に促された民族言語と民族精神とを連動させて考える国法学の興隆と併行する動きであり、ともに一九世紀ドイツの歴史的想像力の展開には欠くことのできないゲルマニステンの二つの流れというべきものだった。以上は、ホワイトの設定した土俵を借りて、一九世紀ヨーロッパの歴史的想像力がレトリックや思考の類型の分類を超えて、ダイナミックに連動していたことを明らかにしてみたまでである。

7 一九世紀リアリズムの展開

ヘイドン・ホワイトは『メタヒストリー』第2部を「一九世紀の歴史記述における四種類のリアリズム」と題して、「ミシュレ―ロマンスとしての歴史的リアリズム」「ランケ―喜劇としての歴史的リアリズム」「トクヴィル―悲劇としての歴史的リアリズム」「ブルクハルト―風刺劇としての歴史的リアリズム」と、それぞれを演劇形式の四類型に分類して展開している。だが、繰り返すが、プロット化のナラティヴについては、その主導因の分析が行われなくてはならない。

フランスの歴史家、ジュール・ミシュレの歴史叙述の方法には、実証主義とロマン主義と自由主義および革命思想が固く結びついていた。これはすでに定説である。その『フランス史』第七巻ルネサンス(*Histoire de France, vol.7 Renaissance*, 1855)「序説」に「民衆的な自然信仰(ナチュラリスム)、本能的汎神論の逞しい流れが、中世全体を、そしてルネサンス全体を貫流していることを忘れてはなるまい」[19]と述べている。ミシュレがキリスト教神学に対抗的な民衆の自然信仰に歴史の主導因を求めたのは、彼がグリム兄弟の兄、ヤーコプ・グリムと親交を結び、一種の民衆史観を育てていったゆえであろう。ヘルダーがドイツ観念論を抜け出して民衆の口承芸術に接近した志向を、フランスで継承発展したものといえよう。

ホワイトは、ランケのナラティヴを四つの演劇の型のうち、「喜劇」と呼んでいるが、先に述べたように、ランケの文献実証主義の方法を支える歴史の主導因はモラリッシェ・エネルギーとされ、神学的な隠喩の相貌を帯びていた。それに対して、ホワイトが「悲劇」と名づけているフランスの政治家、アレクシ・ド・トクヴィルは、フランス革命以前に、アメリカを民主主義の先端と捉え、各地をつぶさに見て歩き、のちにまとめた『アメリカの民主主義』(*De la démocratie en Amérique*, 1835-1840)では、民主政治とは「多数派(の世論)による専制政治」と断じ、メディアと民衆の動向が腐敗した混乱を招くと予言したことでも知られる。これ以上、踏み込まなくとも、ホワイトがトクヴィルの歴史観を「悲劇的」と称した理由に見当はつくだろう。が、トクヴィルは、その克服のために指導的な知識人の役割を強

19 二宮敬訳『フランス・ルネサンスの文明』創文社、一九八一、p.111-113 Gregory Currie, *The Nature of Fiction*, Cambridge University Press, 1990, p.95。

調していた。敢えてなぞらえれば「悲劇」に閉じることなく、「喜劇」に転じる方策を提示してもいた。一種のトラジコメディ型ともいえるかもしれない。

ホワイトが一九世紀中期の歴史主義リアリズムの四巨匠のうちに、一九世紀実証主義の流れからは距離を置いて、いわば孤高の位置を保っていたスイスの歴史家、カール・ヤーコプ・クリストフ・ブルクハルトを挙げて「諷刺劇」と呼んでいるのは興味を惹く。なぜなら、ホワイトは、アイロニカルな諷刺劇を物語性の欠如と評価しているからだ。

ブルクハルトの場合、直観によって出来事の「背景」、この場合は時代の雰囲気を捉えることを重んじ、しかし、低俗に陥ることは退け、芸術と学問の「偉大なもの」を指して「文明史」と呼んでいた。時代の雰囲気をとらえるところは、ホワイトの分類では、③「形式論的」の一種になろうし、芸術と学問の「偉大なもの」に歴史の主導因を置いていることとあわせて、わたしならトマス・カーライルが一九世紀を「機械の時代」と呼んで諷刺し、人間の精神力の発揮を訴えたこととの系譜関係を読みたいところだ。

ブルクハルトはまた、遺稿となった『世界史的考察』(*Weltgeschichtliche Betrachtungen*, 歿後1905)で、歴史を立体図形に模して、縦断面と横断面との二つの面から観察しうると提示した。その縦断面に自ら生成する歴史観(歴史主義)を当て、かつ、横断面を「生」の記号のシステムとして読む方法(構造主義)を開発したのがヴィルヘルム・ディルタイだったと見ることもできる。先のゲルマニステンらの「民族の生命」の生成発展過程を見る歴史観は、ディルタイの自ら生成発展する歴史主義の先駆けになったし、他方、ディルタイの解釈学は、ヘーゲルの絶対理性を「生命」に置き換える企図に発しており[20]、文化の全体を普遍的生命の記号として読み取ろうとする構造主義的思考も生んでいた。

とすれば、二〇世紀を通じて肥大化した構造主義的世界観も、かつては歴史観の片割れであったことに気づくだろう。それに気づけば、その縦断面と横断面を統合し、「システムが編み換えられる過程としての歴史」というダイナミックな立体図形に組み替えることもできるはずだ。これはわたしが試みていることの密やかな提言と理解していただきたい。

ヘイドン・ホワイトは、一九世紀西欧の歴史家のうち、リアリズムに信を置く四人の巨匠をあげて、演劇の四類型に分類してみせたが、このように、それぞれのプロットの主導因を問うなら、歴史家のプロットにあたるものは、歴史観の構図を概念操作によって組み換えることであり、それに留意するなら、一八世紀後期の歴史哲学との系譜関係も、二〇世紀への展開も、あるいは類型の組み換えの方途も浮かびあがってくるのではないか。

ホワイトは、歴史家の論述の大きな分類項目の一つにイデオロギー性を立てていたが、それぞれのリアリズムのよってきたる所以を問うなら、そのイデオロギー性の、あるいは、それと論証法とに跨る上位に「神学」および「観念論的歴史哲学」対「実証主義」という拮抗対立する分析軸を設ける必要が生じるだろう。これも『メタヒストリー』の類型分類主義を組み換える方向の提案である。

20　初期ノート「生の客観態」(Die Objektivation des Leben) 講義録『生の哲学』(*Die Philosophie des Lebens, Eine Auswahl aus seinen Sehriften 1867-1910*, 1946 歿後の編集) 所収。

8 リアリズムの拒否へ

ヘイドン・ホワイトは一九世紀西欧の歴史主義リアリズムを一八世紀後期の歴史哲学の展開として見ながら、第3部は「一九世紀後期の歴史哲学における『リアリズム』の拒否：歴史意識と歴史哲学の再生」と題して「マルクス—換喩の様式における歴史の哲学的弁護」「ニーチェ—隠喩の様式における歴史の詩的弁護」「クローチェ—アイロニーの様式における歴史の哲学的弁護」の三項を立てている。彼らは、それぞれに前代の歴史主義リアリズムの危機を告げているが、それらはアイロニカルな論法であり、歴史主義の危機の解消に向かう、いわばかつての歴史哲学の復権だとホワイトは総括する。

「ヘーゲルはどこかで、すべての偉大な世界史的な事実と世界史的人物はいわば二度現れる、と述べている。彼はこう付け加えるのを忘れた。一度目は偉大な悲劇として、二度目はみじめな笑劇として」。

このカール・マルクスの『ルイ・ボナパルトのブリュメール十八日』(*Der 18te Brumaire des Louis Bonaparte*, 1852) の冒頭を読む限り、ホワイトのいうことを積極的に支持したくなる。ナポレオン三世による一八五一年一二月のクーデタは、ナポレオンという世界史的人物の「復活」劇のようでありながら、それは単なる茶番劇（ファルス）にすぎないというヘーゲルに対するアイロニーはよく効いている。そして、ここに登場した一八四八年二月革命以降の階級闘争史観を歴史哲学の復権と見なすこともできないわけではない。そうだとしても、それは、その茶番劇によってあえなく息の根をとめられたことをアイロニカルに綴っている。

『メタヒストリー』〔序章〕①の四種の演劇類型にファルスは登場しなかったが、それはギリシャ古典劇の幕間狂言のときからプロットといえるほどのものをもっていなかったため、ノースロップ・フライも、したがってホワイトも数えなかったのだろう。とはいえ、そのマルクスの歴史哲学は、ヘーゲルの発展段階論の観念弁証法を唯物論によって転倒し、生産力の矛盾を歴史の推進力とする発展段階論を説く方に向かった。産業革命が社会を賃労働による機械的転回へ転換してしまったことを説いたカーライルの社会観を承けて、『経済学批判』(*Kritik der Politischen Ökonomie*, 1859)で国民経済学の基礎概念を組み換え、資本制社会の仕組みの解明に向かっていった経路には、歴史を物質的基礎に還元する操作を伴い、いわゆる上部構造との相互関連を見ようとしない、むしろ機械論的な欠陥を抱えてゆくことになる。

ヘイドン・ホワイトが、その操作を「換喩」というレトリックに還元している限り、方法的批判にはならない。われわれはそこに、レトリック還元主義とでもいうべきホワイト流の歴史観批評の欠陥を指摘することができるだろう。

フリードリヒ・ニーチェについては、「神は死んだ」の断言だけでなく、ギリシャ古典にディオニュソス神のイメージを開拓したことや、それがプリミティヴィズムの動きを広く呼び興したことなど、二〇世紀の歴史観に及ぼした残響はさまざまだが、その哲学の変転のなかから、いま『ツァラトゥストラはかく語りき』(*Also sprach Zarathustra*, 1885)をあげてみよう。人類愛を説いて神の権威を殺いだキリスト教にとって代わる「最終立法者」たらんとするツァラトゥストラが低俗な一般者の群に混じり、吐気をもよおしながら、意志を貫こうとするアイロニカルな道行を経て、最後は「いま・ここ」が普遍に通じるという命題に行きつくストーリーが開陳される。その命題は、一九世紀中頃に熱力学で提起されはじめたエネルギー保存則と出会ったことに「啓示」を受けたものにほかならない（遺稿集『力への意志』*Wille zur Macht*, 歿後の編集 1901, 断片 1063）。とすれば、それはギリシャ古典の永劫回帰の理念を唯物論的に転倒したものだったともいえよう。

ニーチェにとってツァラトゥストラはメタファーにちがいない。が、自分がエネルギー保存則と出会った出来事を、まるで啓示を受けたかのように書きつけた文章を隠喩として読まれることを彼は拒否するにちがいない。直喩にせよ、暗喩にせよ、思考法を規定するが、言語活動の主体にとって、それは同時に感動の表現であり、かつ活きた思考の回路の痕跡そのものである。ナラティヴをどう読むかは、ひとえに読者の批評にかかっている。

ベネデット・クローチェの歴史観は、そのニーチェの命題やヴィルヘルム・ディルタイの生成発展する歴史観を、生の実践的契機を重んじて発展させたものであり、自ら生成発展する歴史主義哲学と総括しうるだろう。そうであるなら、それは神学とともに経験主義や唯物論的還元主義を排したロマン主義の理想主義的歴史主義の系譜に連なるものといってよい。クローチェは、その『歴史叙述の理論と歴史』（*Teoria e storia della storiografia*, 1917）では、第1部「歴史叙述の理論」のうち「8 特殊史と区分」において、「一般的歴史」と政治、経済、風俗、宗教、哲学、科学、文学、芸術など各特殊領域の歴史に分ける方法を退け、それらを弁証法的に統一することを主張している。「9 自然の歴史」では、自然史も人間の歴史のうちに包み込むことを提案している。弁証法的統一は、もちろんヘーゲルのそれを承けている。わたしは対立を保存したままのアイロニーや、論理的にはアレゴリーによる転義であるメタファーと概念レヴェル、位相を変えることで対立を捨てるディアレクティックとは区別すべきだと繰り返してきた。

クローチェはそこで、経済史の自律的な展開を「贋の歴史」の一つとしているが、マルクスへの批判と見てよいだろう。だが、そのマルクスも「人間にとっての自然史」という大きな枠組みを用意していたし、『資本論』第1巻(*Das Kapital: Kritik der politischen Oekonomie*, 1867)では、機織り器械にふれて技術史への契機をその注で語ってもいる。とすれば、クローチェの企図と合致する着眼もあったことになる。わたしは、どうやら、歴史観を類型分類するより、その方法的叙述のうちに、このような呼応関係を見出だすことを好んでいるらしい。その方が「歴史」の歴史にとっては、有意義な気がするからだ。

9　歴史・人文学史・自然科学史

われわれは、一九世紀後期の歴史的想像力の展開として、マルクス、ニーチェ、クローチェを並べてみせてくれたヘイドン・ホワイトに感謝すべきだろう。このように見てくるなら、われわれは目を学術相互間の動向に向けなくてはならないことを強く感じるからだ。

もし、「メタヒストリー」をヒストリーの上位の歴史の意味で用いるなら、いわゆる歴史学を超えて学術全体を展望し、そこにおける歴史学の意味を問う構成が考えられてしかるべきだろう。実際の歴史学の現場に踏み込んでみるなら、直接、隣接する個別分野との関連、上位の人文学史、および学術全般の歴史の展開との関係が絶えず問われてくるはずなのだ。ホワイト自身、物理学の「パラダイム」との比較において、一九世紀西欧の歴史学の決定的限界を論じていたが、すでにふれたように、バックルは歴史学に統計学の利用を述べ、平均値の考えを導入していた。熱力学ではルートヴィッヒ・ボルツマンが分子のランダムな運動に対して、マクロ・レヴェルの平均値を提唱し（一八七七年）、それがやがて、統計力学に発展してゆく。

いま、ここに、フランス一九世紀小説のロマン主義から象徴主義への展開期に、実証主義の浸透を受けて、「幻想」への疑いを孕んだナラティヴをもつ作品群を「幻想小説」と規定したツベタン・トドロフの『幻想文学論序説』(*Introduction à la Literature Fantastique*, 1970)を参照するなら、ヘイドン・ホワイトが『メタヒストリー』第2部で挙げた四人の「巨匠」に限らず、「序論」の分類パターンに挙げていた各種の歴史家たちや「第1部」の啓蒙主義晩期で挙げていた歴史家の系譜に連なり、諸分野に歴史主義の立場を主張した人々のすべてについて、実証主義の浸透を受けて、「キリスト教神学」や「観念論（理想主義）哲学」に入り込むことを避け、さまざまなリアリズムに変容する過程をとらえることができるのではないか。そして、さらには、一九世紀末の歴史主義リアリズムの危機は、二〇世紀前期にいかに展開したか、という展望に立つことも必要だろう。

フランス社会学の祖とされるオーギュスト・コントは、ニコラ・ド・コンドルセが神学から人文科学、社会科学への進歩を説いた『人間精神進歩の歴史』(*Esquisse d'un tableau historique des progrès de l'esprit humain*, 1795）に同調し、激化する階級矛盾の解決に向けて、信仰の段階、観念論（理想主義）の段階に次ぐ学の発展段階として、社会の現実と正面から向き合う実証主義（＝科学）を提唱し（一八二二年）[21]、そののち、数学・天文学・物理学・化学・生物学の上に社会学を置く実証科学の体系を構想したことはよく知られる。彼は、また調和のとれた社会有機体を理想としていた。

　イポリット・テーヌは『イギリス文学史』の第一巻の序章で、文芸を人種・環境（風土と社会構造）・時代の三要素に還元する方法を提起したが、この精神文化を物質的基礎に還元する方法を、ホワイトは機械論に分類し、だが、機械論は一九世紀においては異端だったとしたのは、このテーヌの思考法を実証主義の唯物論に接近した形態と見る見方を回避しようとしたともいえるだろう。

　そもそもホワイトは、なぜ、ヨーロッパ一九世紀中葉の歴史家たちのそれぞれにリアリズムへの信頼が生じたのか、その原因も、それぞれのモチーフも問うことなく、また、その継承・発展の系譜関係に注目することなく、ただ、「初め－経過－結末」の三段階に分ける構図を優先させていた。そして一九世紀後期のカール・マルクスの、歴史を物質的生産関係に還元する発展段階論についても、ヘーゲルの観念論的弁証法を唯物論に転倒したものと見ることなく、一九世紀中葉の歴史家のリアリティへの信頼が崩れた危機に対処し、唯物論に立つ歴史哲学の復活を企図するアイロニカルな態度と見ていた。

21「社会を再組織するために必要な科学的な作業のプラン」（*Prospectus des ravaux scientifiques nécessaires pour réorganiser la société*, 1822）で「人間が精神の変化に従って、神学（想像的）－形而上学／哲学（理性的・論理的）－科学（観察、実証的）」という過程を単線的にたどるのと同様、社会は軍事的（物理防御重視）－法律的（基礎的ルール重視）－産業的という過程を単線的にたどり、発展すると「三段階の法則」（Loi des trois états）を立てた。

西欧では一九世紀を通じて自然哲学は、実験による物理・化学に分岐し、観察による博物学(natural history)の展開の上に実験による生化学や医学と併行して進展していた。自然諸科学における観察と実験の盛行は、自然史、生物史、人類史に大きな転換を用意し、博物学は鉱物学や生物学などに分岐して学問体系としての自然科学へ展開した。それらと併行して、人文学にも、キリスト教信仰及びロマン主義的観念論に対して、実地の観察による実証主義の興隆が促され、社会科学が分岐を見せはじめ、それゆえ、いわゆる歴史の語り方にも神学や観念論の影を引きずるもの、それらと完全に離脱するものなど、さまざまな変化がもたらされたのである。つまり、実証主義の展開を主軸におくことなく、一九世紀の中期はもちろん後期も、二〇世紀の歴史的想像力の展開についても、展望できるはずはないとわたしは思う。

西欧一九世紀中期において、フランスのルイ・パスツールは、実験によって、微生物の自然発生性を否定した(一八六二年)。[22] これは万物の創造主というキリスト教の観念に大きな打撃を与え、かつアリストテレスの自然学がその一部に抱えていた生物の自然発生の考えを完全に否定し、いわば経験主義的実証主義を実験主義——何事も実験で確かめられないことには信を置かないとする態度——にまで発展させた。

しかし、もう一度、ふれるが、それより早く、アメリカ大陸で太古のさまざまな動物の骨の化石が発掘されたことが、ノアの箱舟が神話にすぎないことを暴き出していた。それはヴォルテールら啓蒙思想家には自明なことだったが、そのことが倫理を中心にする教会の教義と正面からぶつかりあうこ

22 Mémoire Sur les corpuscules organisés qui existent dans l'atmosphère: Examen doctrine des générations spontanées,1882)

とはなかった。歴史のメタ・ジャンルとしてはたらくキリスト教神学に最も大きな一撃を与えたものは、フランスのジャン＝バティスト・ラマルクが説いていた獲得形質遺伝による進化論を、生存闘争原理に置き換えたチャールズ・ダーウィンの『種の起源』(*On the Origin of Species by Means of Natural Selection, or the Preservation of Favoured Races in the Struggle for Life*, 1859)だった。が、論争に消極的なダーウィンより、トマス・ハクスリーがダーウィンのブルドッグを名乗って、教会の牧師と論争し、論破したことが人々の耳目を集めたからこそだった。

ハクスリーは『自然界における人間の位置についての証拠』(*Evidence as to Man's Place in Nature*, 1863)で、ノアの箱舟神話に付随してキリスト教圏に流布していた有色人種退化伝説を論破した。これは人類史観の上で看過しえない出来事だったというだけでなく、実証主義史学の展開にも影響を及ぼした。

なお、『種の起源』は、品種改良の人工選択と同様のことが自然界でも起こっていると類推する論じ方をとっている。トマス・ロバート・マルサスが貧困の解決のために産児制限を説いた『人口論』(*An Essay on the Principle of Population*, 1803-)も参照されている。ダーウィンは『種の起源』第五版（一九五九）に、ハーバート・スペンサーの「最適者生存」(survival of the fittest) の導入をはかりもした。スペンサーは実験主義を標榜し、コントの実証主義を批判的に発展させ、進化論を宗教学や社会学など人文諸学の全分野に展開する『総合哲学体系』(*System of Synthetic Philosophy*, 1860) の計画を発表、一九世紀末にかけて完成させていった。とはいえ、それは極めて思弁的で、たとえば自由競争の原理（レッセ・フェール）と社会有機体論の立場を併存させていたから、ハクスリーから、身体の器官がそれぞれ勝手に動いたら、いったいどうなるかと、その矛盾を突かれたりもした(*Administrative Nihilism*, 1872)。[23] 諸分野は互いに関係しあって展開していたのである。

さらにいえば、ヘイドン・ホワイトがイデオロギー性の項目で借用したマンハイムの類型は、生産力を国家が管理するソヴィエト連邦やファシズム・ナチズムなど二〇世紀に特有の国家社会主義が生んだ国際危機に対峙したゆえに生じたものだった。それらにマルクスの生産力還元主義を転用した政策を見て取ることも容易だろう。

物理学に戻ると、一九世紀のうちに電子の存在が確認され、量子力学への歩みがはじまっていた。そして二〇世紀前半にアインシュタインの相対性理論からハイゼンベルクの不確定原理の提唱にいたる展開は、古典ギリシャから物理学は数学的操作によるものという操作主義論に収斂していった。その操作の問題が科学哲学の数学的論理実証主義に展開し、それが言語学的転回を経て、ヤコブソンの一般言語学が進展し、それに間接的にヒントを得たヘイドン・ホワイトが西欧一九世紀の歴史学者の歴史の説明に、詩的・言語学的レトリックの形象を導入するところへ向かったのである。ここから、『メタヒストリー』の「歴史の歴史」における相対的位置を明らかにする作業も可能になろう。

諸領域における「歴史」についての個別の論考のナラティヴは、いかに語られているか、他の領域の

23 今日では、進化の諸原因を総合して勘案する総合説に転換されているが、生態学では「適用」(adaptation)による生き残り原理に収斂させる傾向が強い。性選択に関しては諸説入れ乱れて整理がついていない。集団遺伝学では、遺伝子は生存に有利なものが生き残るとは限らないという中立説が認められている。生物進化論も歴史的に展開してきたのである。

それとの類同性と差異、ジャンルとカテゴリーなどに規定されて展開していることはいうまでもない。ヘイドン・ホワイトが『メタヒストリー』でとったのは、西欧一九世紀の歴史家の歴史の説明の仕方を、それをリードした形象やレトリックの類型によって四象限に分類する方法だった。それは、それぞれの歴史のストーリーの主導因の分析を欠いており、分類基準もかなりの問題を孕んでいたし、内容のイデオロギー的性格の分類もかなり恣意的なものだった。個々の歴史論における論証的な概念操作が文芸的な比喩に置き換えられて論じられてしまう傾向が強かった。

個々の歴史の語り方の主導因の分析には、一九世紀においては「実証主義」の浸透を受けて、「神学」から離脱して理神論に傾いているか、唯物論に接近しているか、あるいはロマン主義的「観念論」に飛躍しているか、を観察すべきであり、そこにはたらく学説相互の継承と転換、すなわち系譜関係、またそれを取り巻く諸学の編制の展開を見渡すことが不可欠だった。ホワイトはまた、二〇世紀への展望も欠いていた。これらは「ないものねだり」ではない。歴史は、どのような分野のそれでも、総合的なそれでも、現在から尋ねることしかできないからである。むろん、それもまた、わたしが身に着けている歴史観にはちがいないのだが、ヘイドン・ホワイトは西欧一九世紀の歴史学のナラティヴの分析としては、決定的な限界を負っていたといわざるをえない。

ホワイトがまず演劇の類型分類に頼ったのは、ウラジーミル・プロップが民話のナラティヴを論じて、初め–経過–結末と進むストーリーの主導因によって、プロットを分析した手法にヒントをえていながら、それぞれのモチーフを析出し、パターンの分析に向かう方法をとらずに、歴史家の思考法が形象のパターンに導かれているとし、しかも、その類型を、その時代のスキームからではなく、おそらくはホワイト自身が学生の頃に取り組んだ各分野の教科書的書物の分類図式を借り、社会学の教科書で馴染んだタルコット・パーソンズの四象限図式を四枚重ねるような構図を考案することに熱中した。彼身、類型分類の嗜好 (preference) が強かったのだろう。

一九世紀西欧における歴史的想像力のナラティヴの分析視角が、いわば文芸性の強いレトリックの類型分類に閉じていたため、それぞれの歴史家の歴史の説明法の概念操作、その継承と転換に取り組むことができず、したがって、彼ら相互の縦横の関係、隣接分野の展開にも関心が向かなかった。向かなかったのは、歴史学の概念操作など論理的思考を文芸レトリックに還元するアイデアに憑かれていたためであり、一九世紀西欧における学の構成など度外視していたからである。それゆえ、芸術史観はもとより、言語観、国家論、経済論などの各分野の関連にも関心を向けることはなかった。

ましてやキリスト教における人類史観も、生物進化論の基準が機能の発達から生き残りに転換したことによる生物史観の変化と人類史観の関連なども関心の外に置いていた。それらに関心を開けば、自然科学における観察と実験の重視と併行して一九世紀の人文学の各分野にリアルな現実の観察に基づく実証主義が進展していたこと、だが、そこにはホワイトのいうように、ニュートン力学のように重力を中心に考え、微積分をも用いる「パラダイム」は存在していなかった。それゆえ、前代の継承と転換という論理操作が各分野間で、さまざまに行われ、歴史観においては、多く自民族中心主義と発展段階論的な偏りをもつ歴史主義の時代であったという図式が描けたはずである。

ヘイドン・ホワイト『メタヒストリー』は「一九世紀ヨーロッパにおける歴史的想像力」という副題を構えながら、課題を彼が選んだ歴史家の歴史観に絞っていた。ヘーゲル『歴史哲学講義』に先行する『美学講義』に着目しながら、彼は、それをノースロップ・フライの『批評の解剖』に示されたストーリーの四類型に分けるための材料として、外在的に扱ってしまい、ヘーゲルの内部においても、ルソー、カント、フィヒテら先行者との関係、また後続のドイツ国法学の歴史主義の展開などにも関心を開くことができなかった。それらを統括する歴史学の上位概念にあたる人文学の編制が、自然科学の学の編制の進展と併行して、新たに進んだことに目を届かせようとしていなかった。ホワイトが、もし、自分のアイデアのもとが英語圏における二〇世紀の自然観の入門書（後述する）にあったことを振り返ることができたなら。概念の転換を伴いながら諸科学が関連しあってきたことにも関心を向けられただろう。

繰り返すが、課題の設定とその方法に限界を設けなければ、どのような論考も成りたたない。が、その限界は学の方法から個別に設定されるべきである。それを発展させうるかどうかは、その限界の自覚による。限界の自覚のない考察を発展させるには、内在的な批判を媒介にするしかない。つまりは、一九世紀ヨーロッパの歴史家の知性が、形象モデルに憑かれているはずだ、無意識の戦略に導かれているはずだ、というヘイドン・ホワイトの前提自体、彼自身の類型分析という操作を好む知性によって導かれていたのである。

このように、わたしが円環的な論理で結論を閉じるのは、彼の好みにあわせて選んだ操作だが、自己実現を志す知性が惨劇を招いて終わるドラマの結末を見て反省の契機とすることを、ヘーゲルの「理性の狡知」を借りて「知性の狡知」と呼ぶとするなら、われわれの知性は、ヘイドン・ホワイトのナラトロジー分析の陥穽に学ぶことができるはずである。

言語の運用法、表現法の総体をいうレトリックは、認識や思考を規定する。が、それは一方に、論理操作、他方に芸術的操作をもつ。比喩は転義、すなわち概念間の転換をいうが、概念の位相の転換は、意識的、無意識的な論理操作によってもなされる。それを一方的に惑わしに満ちた芸術的レトリックに寄せて考えるのは危険である。科学哲学の論理実証主義がその根拠を数学から言語学に足場を移したことをわたしは一概に否定しないが、その言語学がナラティヴに関心を向けた際、一般理論を目指して不可避に芸術というフィールドを抱え込んだため、二〇世紀後半に、文芸レトリックこそが思考をリードするかのような思い込み、ないしはその方面に関心を向けることが先端的であるかのような錯覚が生じたらしいのだ。

わたしなどは遅蒔きながら、ヘイドン・ホワイトの『メタヒストリー』と取り組み、その類型分類に偏した図式的思考への違和感を頼りに、一九世紀ヨーロッパの多様性に満ちた歴史意識に、これまで以上に関心を開いてみたまでのこと。その意味で、ホワイトの著作とその翻訳に感謝しつつ、それをしかし「役に立つ過去」に送り返す、ささやかな試みを試みたまでである。

10 類型・図形・操作

ジェラール・ジュネットは述べている。「知性のシェマ(図式)と操作とは、おそらく感覚的想像力の夢想よりもなお一層『深く』起源的なものであって、いわば無意識の論理、無意識の数学といったものが存在している」[24]と。われわれの知性は元来、図式と操作に憑かれているという呪われた運命を担っている、と言い換えることもできるだろう。だが、それは彼の方法的自覚の表明だった。彼は、よく知られているように『フィギュールⅢ』(*Figure III*, 1972)で、分析視角をしっかり明示にしたうえで、マルセル・プルーストのナラティヴのパターンを抽出した。

だが、ホワイトが、歴史家の歴史の分析に類型分類を立てる操作は、それとは手順が逆である。序論「歴史の詩学」で、プロップのプロットの抽出法を学ぶことなく、ノースロップ・フライの演劇形式の四類型を導入していたことに、それは端的に示されている。ホワイトは、歴史を出来事(event)が一定のパターンをなして次つぎに展開する構図で考えており、それを自然科学のような「パラダイム」を共有していないはずの歴史家のナラティヴにも見ていたと思しい。この考えの「深部」にはたらいている書物に思いを巡らせば、唐突に思われるかもしれないが、シドニー出身の理論物理学者、サミュエル・アレクサンダーの『空間・時間・神性』(*Space, time and deity*, 1920)が浮かびあがる。古典力学では別々の体系として考えられてきた時間と空間を統一的にとらえ、「時＝空」で物質に起こる出来事が一定の型

24 *Figure*, Paris, Le Seuil, 1966, p.100.

（パターン）をなし、それが次つぎに展開する構図で宇宙進化を論じた書物である。それをホワイトが実際に読んでいるとは限らない。が、アレクサンダーの『空間・時間・神性』は、二〇世紀宇宙進化論の入門書として、英語圏の学生には広く読まれたロビン・ジョージ・コリングウッドが『自然の観念』(*The Idea of Nature*, 1945, 歿後の刊行）で、高く称揚していた。そこでは、アレクサンダーの書が、アルフレッド・ノース・ホワイトヘッドの大著『過程と実在』(*Process and Reality*, 1929) の導きの糸になったとし、だが、アレクサンダーが出来事のパターンの展開は絶対的超越神に導かれているとしているのに比して、ホワイトヘッドは神性の位置づけが十分でないと難じている。というのも、ホワイトヘッドの体系では、神性は人間が求めるものとされ、誘因と位置づけられているが、人間が導かれるとはされていないからである。[25] 二〇世紀前期の英語圏では、物質の階層構造（電子-原子-物質-有機体-人間）がドラマティックに展開する一般向けの宇宙進化論が刊行され、その日本語翻訳版も出ていたのだが、いまは、それにふれている余裕はない。

ホワイトは、歴史家の説明は自然科学でないので、詩的・言語学的なはたらきを免れないと述べていたが、それは、いわばアレクサンダーの描いた宇宙進化論の体系を導く神性に換えて、彼自身が発明した類型分類を据える操作に根拠を与える断言、すなわち彼の操作主義 (operationism) の弁明にすぎない。ここで、操作主義は、パーシー・ブリッジマンの『現代物理学の論理』(*The Logic of Modern Physics*, 1927) で、アインシュタインが相対性原理によって、ニュートン力学の絶対空間・絶対時間の概念を転

25 鈴木貞美『日本人の自然観』前掲書、第4章2節を参照。

換したことを対象化した名づけである。不確定性原理によって量子力学に画期を開いたヴェルナー・ハイゼンベルクは、そののち、古代ギリシャから物理学は数学という人為的操作によっていたことを説きもしたが、ホワイトの操作主義は、歴史家の概念操作を文芸的レトリックに置き換えてしまうことだった。

よく知られるように、英語「ヒストリー」はギリシャ語"histiria"に由来し それは「知ること」一般を意味していたから、"natural history"は、必ずしも歴史的展開とかかわらない自然学（博物学）を意味していた。だが、それは一九世紀ヨーロッパに生物進化論という自然史の一角を開拓し、さらには二〇世紀の宇宙進化論にも展開した。そして、そのなかに、創造神に導かれて出来事が「パターン」を展開するという公式が生まれていたのである。そのパターン展開の構図が、一九世紀ヨーロッパの歴史学のナラティヴに挑んだヘイドン・ホワイトの類型還元主義ともいうべき嗜好を刺戟したにちがいない。というのは、そのあいだの相似性から、わたしが類推したことにすぎない。それゆえ、読者には、好みに応じて、その部分を排除してもらってもよい。

本稿でわたしは、ヘイドン・ホワイトの文芸に傾いたレトリック還元主義に疑義を呈し、ヘーゲル弁証法など論理的な概念操作とのちがいにふれ、一九世紀から二〇世紀前半にかけての西欧の「歴史の歴史」へのアプローチを従来より開拓したつもりである。比喩のレトリックと類推のアナロジーの対応に満足することなく、それぞれの歴史家の歴史論のモチーフから、その概念操作をあぶり出し、歴史の語り方の系譜関係を解明する方向を提示してきた。そのようにして、たとえばヘーゲル国家論の系譜を追い、その歴史哲学を承けたドイツ国法学の展開に関心を注ぎ、ディルタイの自ら生成発展する歴史主義や彼の解釈学が構造主義に傾いていることをも指摘した。またランケの文献実証主義による歴史の説明も、歴史の諸段階は神の光に照らされているという神学的観念を支えにし、モラリッシェ・エネルギーに先導された歴史観に支えられていることも対置した。これらは、日本の一九世紀後期から二〇世紀前半の国家論や歴史主義の語り方、とりわけ京都学派のそれに強く影を落としていたことに関心を注いできたことの成果である。[26] そして、その間には、日本独自ともいえる概念操作にも出会ってきたので、最後にその機微にふれておこう。二〇世紀前半の日本の思想から、二つあげる。

一つは、日本医学史の泰斗として知られる富士川游のそれ。彼は、浄土真宗の信仰の篤い人で、その教えを『金剛心』(1916) に説いていた。その「業種ト因縁」の章では、学問の上からいうと、生物は形こそちがっても、みな同じく「宇宙ニミチテ居ル」「元素」の組み合わせから成るもの、それゆえ、みな「宇宙ノ妙法ノ下ニ支配サルベキモノ」であるという。「宇宙ノ妙法」は、真宗で絶対帰依の対象である阿弥陀仏の法力のこと。そして次の「弥陀ノ誓願」の章では「煩悩具足ノ凡夫」は「流転ノ生死ヲ離レルコト」も出来ず、「自力ニテ修行デキヌ下根ノモノ」ゆえ、「必ズ絶対無限ノ力ノ支配ヲ受ケネバナラヌモノ」であるという浄土教系の教えが重ねられ、阿弥陀仏へ帰一する心が説かれてゆく。

これは、西洋から渡来した生物学の知識を真宗の門徒の論理の下に組み込んだ操作である。類推でも比喩でもない。もし類推がはたらいたとするなら、まず西欧近代の生物学的知識がキリスト教のも

26 鈴木貞美『歴史と生命―西田幾多郎の苦闘』(作品社、二〇二〇)を参照。

とに包摂される論理構造を想定し、それを親鸞の論理構造のもとに置き換えるところに、だろう。唯一神への絶対帰依の考え方において両者が共通するゆえに、それは可能だったので、多神教的な宗教観では置き換えが効かないはずである。[27]

もう一つは、鈴木大拙『禅と日本文化』（北川桃雄訳、岩波新書、一九四二）の〔七章　禅と俳句――俳句の詩的霊感の基礎における禅的直覚〕から引く。人間の心の層を表面、半意識面、第三層に分け、その第三層、普通、心理学者のいう無意識と説明していう。

更に深い深い処に、吾々の人格の地盤となる別の層がある。「集合的無意識」とも「無意識一般」とも称せらるるもの、是がやや仏教の阿頼耶識（アーラヤヴィジュニャーナ）(Ālayavijñāna)の思想即ち「蔵識」、「無没識」に当る。此「蔵識」、即ち「無意識」の存在は実験的に明示することはできぬが、それを定めおくことは意識の一般事実を説明する上に必要である。

心理学的に云ふと、此阿頼耶識即ち「集合意識」を吾々の心的生活の基礎と見なすことが出来る。然し、芸術的又は宗教的生活の秘密を把握するために実在そのものに到達せんと思ふ時には、「宇宙的無意識」となすところのものを持たなければならぬ。「宇宙的無意識」は創造性の原理、神の作業場であり、そこに宇宙の原動力が蔵せられる。あらゆる芸術品、宗教人の生活と向上心、哲学者を動かす研究心、是等一切が、すべての創造能力を抱く「宇宙的無意識」の源泉から来るの

27　鈴木貞美『日本人の自然観』前掲書、第11章を参照。

である。[28]

この引用の一行目、「集合無意識」に「阿頼耶識」が〈やや……当る〉としているのは、エデュアルト・フォン・ハルトマン『無意識の哲学』(*Philosophie des Unbewusstenisan*, 1869)が人類に普遍的なものと想定した無意識領域、あるいはカール・グスタフ・ユングが民族などの集団に普遍的なものと分岐させた「集合無意識」に対して、唯識でいう阿頼耶識は、感官の五識、それをまとめた意識、意識を消しても残る末那識(自意識)、それを消した状態をいうが、それは、あくまで個々人のものであり、せいぜい親から受け継いだものとされ、係累より広く共有されるものとはされない。それゆえ唯識をベースにする法相宗では、総ての衆生を救済するはずの大乗仏教の一派であるにもかかわらず、成仏できない種というものを想定していた。[29]

この場合の〈やや……当る〉は、比喩でも類推でもなく、阿頼耶識のさらに下層に、おそらく大拙が独自に着想した「宇宙的無意識」なるものを想定し、それによって東西の哲学のちがいを超える論理操

28『鈴木大拙全集』第11巻、岩波書店、一九七〇、p.131−132,原英文一九三八(未見)。

29大拙の引用の後半、「心理学的に云ふと、此阿頼耶識即ち『集合意識』を吾々の心的生活の基礎と見なすことが出来る」は、やや不安定だろう。前半で「蔵識」を「無意識」と言い換えているのに、ここは「集合意識」である。「阿頼耶識」は「末那識」すなわち個の意識の消えた状態なので「集合意識」といったが、半ば、分析心理学にいう「集合無意識」(collective unconscious)に引きずられてもいよう。「集合意識」では、フランスの社会学者、エミール・デュルケイムのいう集団成員間に共有される意識(conscience collective)と混同されてしまう。なお、能勢朝次『連句芸術の性格』(角川選書、一九七〇)中、〔俳諧解釈の地盤〕の章では、この大拙の言を引いて、芭蕉の「造化に従い造化に帰る」が説明されている。

作がなされていると見てよいだろう。

富士川游『金剛心』の場合も、鈴木大拙『禅と日本文化』の場合も、東西の文化と分野のちがいを根底から突破するような論理操作である。ナラティヴの学、ナラトロジーはレトリックを超え、東西も時代も分野をも超えて追究されるべきであろう。

「ナラティヴ」の語源が、サンスクリット語の「知る」に由来することはたしかなことだ。どうやら、われわれの知性は、洋の東西も時代も超えて、図式とともに比喩法などの転義を意味するレトリックを超えて、概念操作にも憑かれていたという呪われた運命を免れがたいらしい。

つまるところ、ナラティヴの問題は概念操作に帰着する。比喩などのレトリックは、その一つにほかならない。狭い意味のレトリックの操作に熱中しても自家撞着に陥るだけだ。それがヘイドン・ホワイト『メタヒストリー』が教えてくれる最も大きなことだろう。歴史観の歴史に迫るには、レトリックの意味を概念操作のレヴェルにあげること、ナラティヴに即していうなら、描写法を含めた説明の仕方一般、文章構成法や展開の仕方にも射程を拡げること、いわばローマ時代のそれではなく、アリストテレスのそれに戻すことが要請されるだろう。東洋文化では、『老子道徳経』に発する対句や対偶、『荘子』の逆説法、作文作法の「起承転結」や、メディアを拡げて「序破急」など楽の演奏法も浮上してこよう。

第3章

柳田國男民俗学のナラトロジー

1 近代という大きな物語

わたしの野家啓一『物語の哲学』における柳田國男の捉え方についての疑義は、第一に、口頭伝承内の伝説と「昔話」のちがい、それらと伝承の記録、また創作とされてきた小説との差異をも跨いで、ジャンル(カテゴリー)を無視ないし軽視して展開される「物語行為」論に対するものであり、第二には「語る」を「話す」と「書く」の「中間」に位置づける論理構成だった。第三に、東西の文化圏における国語の意味、印刷技術の発達のちがいと民間の読み物の普及に無頓着なことなど言語文化史にかかわるものだった。もうひとつ、野家啓一は、柳田國男が『遠野物語』(一九一〇)を刊行したとき、田山花袋に代表される「日本自然主義」文芸の動きに対峙していたと述べているが、これは第二次世界大戦後の文芸批評がつくった「ロマン主義」対「自然主義」の図式に安易に寄りかかった「日本近代文学史」観といわざるをえない。総じていえば、柳田國男とベンヤミンの「近代」との対峙の仕方を比較する際に必要なのは、日本と西欧のそれぞれの近代の文芸史や文化史を、第二次世界大戦後につくられてきた「近代

On Evaluations of Yanagida Folklore;
Why does Narratology Need to be Made in Japan?(3),
iichiko intercultural, Summer 2022, no.155,
Autumn 2022, no.156

という大きな物語」から解き放す試みとともになされてしかるべきではないか。

実際のところ、柳田が学問の上で対峙したのは、印刷された文献を専ら対象とする国文学研究や国際的なフォークロア研究であり、後者の方向は、古代インド・古代ローマ・中東からヨーロッパに言語を超えて拡がった民間伝承の伝播や系譜を考察するものだった。それに対して彼は、同じ日本語の伝承文芸のさまざまな文字記録よりも、当代の、いわば僻地に活きている「昔話」の方が、その変容の過程を遡りうる可能性を残しているゆえ、その淵源を日本固有の神話にまで辿ることができるのではないかと述べていたのである。そして、柳田國男の「昔話」研究は、端的には、かつて古代の日本の民衆が神話のもとに結びついていたはずという仮定に基づき、その信仰が変容してきた歴史、いわば日本の民衆の精神史を探ることを通して、昭和戦前期日本の精神的頽落に芯を取り戻すという願いに貫かれていた。それは一九四一年、「総国敬神の念」の危機にあたって、東京帝大で行った講演をもとにした『日本の祭』（一九四二）に示されている。柳田國男の民俗学に天皇制イデオロギーによるものとレッテルが貼られたのは、それを読みそこなったゆえである。

だが、『日本の祭』を注意深く読むと、そこには神社神道の国家管理には、距離をとり、時節がらの言辞を批判する姿勢もうかがえる。それを今日の我々が、どのように評価するか、柳田國男の日本近代批判を日本の精神史のなかに位置づける作業は、これまで多くの人々によってなされてきたとはいえ、まだ未解明なところが残されている。なぜなら、それらの評価も「近代という大きな物語」から抜けきれていないからだ。

ここでは、まず、戦後思想史における柳田國男の民俗学評価の枠組みを見ておきたい。大きくは、柳田の「日本近代」との対峙の仕方が「天皇制ファシズム」の分析に有効か、どうか、という観点からなされてきたといってよい。丸山眞男（および彼の周辺の人々）による政治思想史へのアプローチは、西洋思想史を参照してなされる伊藤博文や井上哲次郎らの思想を焦点にしたものであり、「天皇制国家」のしくみについても、山縣有朋による地方自治制度の制定過程などは問題にされても、それを支えた村落共同体の心性には届いていないと考えた人々、神島二郎（『近代日本の精神構造』岩波書店、一九六一）や橋川文三（『近代日本政治思想の諸相』未來社、一九六八）などが、その心性を柳田民俗学から汲み上げようとした、ということにつきるのではないだろうか。[1]つまり柳田民俗学の評価は、丸山政治思想史の足らないところを補うという観点からなされてきたのである。だが、それは日本近現代思想史に有効なアプローチなのだろうか。

2 「天皇制国家」論の枠組

「天皇制国家」のしくみを分析するという角度では、一九一一年の天皇機関説論争で、穂積八束－上杉慎吉の天皇主権説に対して、一木喜徳郎の天皇機関説をより議会主義的に運用する美濃部達吉の説が公認されたこと、にもかかわらず、一九三五年に国体明徴運動が国会に持ち込まれ、天皇主権説に転換した歴史的経緯すら明らかにされない。

1 後藤総一郎「思想史における民俗学」（一九七五）（『柳田国男論』〈一九八六〉）を参照。

そのもとは、帝国憲法の制定過程およびその受け止めの問題にあり、そこに遡って検討されることもない。国体論をもとに絶対主義ないし専制政治が前提にされていたと考えられるからである（今日でも、日本型の立憲君主制と考えられることなく、憲法制定過程に国体論の影を指摘し、「外形的立憲君主制」などといわれている）。それゆえ、なぜ、一九一一年の論争で、機関説が支持されたのかに考えが及ばない。

明治維新は一面、明治天皇を担いだ復古革命であり、国法を「憲法」と呼んだのは、聖徳太子による「十七条憲法」の呼称を呼び返したもの、また欽定以外に国法の制定はありえなかった。その制定過程には、日本独自の国体論に立ちたいという井上毅などの意図がはたらいたことがいわれるが、その意図は告文によくうかがわれよう。だが、憲法は国会の承認を受けており、その意味では、近代法にのっとって制定されたのである。第三条に神聖不可侵が謳われているのは、プロイセンなど王権神授説を条文に残すドイツ語圏の国法が参照され、またオーストリアの内閣責任制度を参照して、国務大臣の輔弼を入れている（憲法では内閣制度は規定していない）。天皇の地位は、憲法と皇室典範で規定されており、天皇はフリー・ハンドではない。したがって、近代的立憲君主制の一種で、絶対主義でも専制でもない。

「国体」論は、幕末維新期に、俄かに論じはじめられたもので、水戸学の影響が浸透した。日清戦争を前後する時期に、加藤弘之らの家族国家論が主流となり、穂積八束は『国民教育愛国心』（一八九七）で、血統国家論を唱えるに至っていた。しかし、明治維新後、文部省は、加藤弘之がドイツのヨハン・カスパー・ブルンチュリ『一般国法学』(*Allgemeines Staatsrecht*, 1851-52)を『国法汎論』（一八七五）として翻訳刊行していた。それは社会契約説を退ける国家有機体論に立つ国家主権論である。その根本の考えが官僚層、知識層に浸透していたゆえに、帝国憲法も、そのように解釈されており、機関説に軍配があがったのだった。

その論争をドイツ国法学の二傾向の争いとみた帝国大学法学部教授、筧克彦は「現人神」なる天皇は、普遍性をもつ「宇宙の生命」の現れとする独自の国体論を編み出していた。[2] 筧は、それゆえ、儒学も仏教も日本化してきたこと、やがてキリスト教もそうなると説く。つまり国体論も天皇の位置までも、生命主義によって鋳なおし、それによって、普遍性を宿した「国家の生命」の観念、すなわち機関説論争であいまいにされていたブルンチュリ流の有機体論をも一挙に止揚していたのだった(『皇国之根柢万邦之精華 続古神道大義』下巻、清水書店、一九一四)。

筧克彦は、大正天皇の后、貞明皇后の信任篤く、進講をもとに『神ながらの道』(一九二六)を内閣神社局から刊行する。彼ののちの『皇国精神講話』(一九三〇)には、目次からして「宇宙大生命」の活字が躍る。それは皇道派将校たちの奉じるところとなった。一九四〇年一一月、内務省の外局として設置された神祇院編の『神社本義』(一九四四)はうたっている。

> 代々天皇にまつろい奉って、忠孝の美徳を発揮し、かくて君民一致の比類なき一大家族国家を形成し、無窮に絶ゆることなき国家の生命が、生々発展し続けている。これ我が国体の精華である。

2 “universal life”(普遍的な生命)の観念は、二〇世紀前期の国際的流行語。西田幾多郎『善の研究』一九一一)では「宇宙の永遠の生命」、『自覚に於ける直観と反省』(一九一七)では、それを「宇宙の大実在」と言い換えている。「宇宙大生命」の語は、和辻哲郎『ニイチェ研究』(一九一三)にも登場する。鈴木貞美『生命観の探究─重層する危機のなかで』(作品社、二〇〇七)など参照。

　このとき、対米英戦争は、すでに敗退局面を迎えていたのだが、ここには、家族国家論に付随して「国家の生命」なる観念が歴然と登場している。しかも、ドイツの生の哲学系の自ら生々発展する歴史観も併せてあるのだから、生命主義に立つ国体論である。この時期の西田幾多郎の「国家理由の問題」（一九四一）あたりの国体観念にも近い。[3]が、筧克彦が『神社本義』の形成過程にはかかわっていたことを併せて、ここに彼の国体論は国家の公的観念となるに至ったと見てよい。このことも長く明らかにされてこなかった。それゆえ、この理念は、帝国憲法以来、一貫していたかのように、たとえば村上重良『国家神道』（岩波新書、一九七〇）で、論じられてもいたのである。

　丸山眞男の政治思想史も、基本的に一国に閉じており、国際情勢の変化、国際思想の変転のリアクションが考えられていない。「超国家主義の論理と心理」（一九四六）では、日本の対外侵略についても、天皇の地位の向上と日本の領土の地理的拡大が併行して「螺旋的になされた」というに留まっている（明治期から変わらないと考えるよりは、よほどよいが）。対米英戦争期に天皇が総ての「価値の源泉」とされ、各自の責任はそれに預けられたため、無責任体制になったということを考察の起点に据え、遡って考えるからである。（この結果から遡って考える思考法は、彼が戦時下、江戸時代を論じた『日本政治思想史研究』（東京大学出版会、一九五二、改訂版一九八三）も同じ。明治絶対主義を大前提にして考えられている。

　「超国家主義」（ウルトラナショナリズム）とは、超弩級という意味であろうが、何をもって規定するのか。また、いったい、近衛新体制は「ファシズム」だったのか。物価統制すら財界に自主統制の意見が

3　鈴木貞美『歴史と生命―西田幾多郎の苦闘』作品社、二〇一九〔第五章3〕を参照。

出て、反対され、提案した第二次近衛内閣の企画院総裁、星野直樹は辞任している（一九四一年）。どのように「ファシズム」を定義するにせよ、強権的独裁体制という要件は外せないのではないか。基本タームの概念規定がなされず、比喩をもって語ることが、戦後の丸山のエッセイ群の著しい特徴である。

先の「螺旋的」についていえば、天皇の地位は大正期にあきらかに下落した。明治天皇は、その歿後に、北海道を含めると領土を二倍に拡大した天皇として、日本を建国した神武につぐ史上二番目の大帝と称賛された。大正天皇は、そののちの天皇である。病気のことを考えなくともよい。漸進的に天皇の地位が向上したわけではない。

地理について、欧州大戦（第一次世界大戦）に乗じた租借地の拡大は、一九二〇年に日本が国際連盟の常任理事国となり、国際協調路線に転換した際に総て返還した。シベリア出兵時の軍事的占領地など地理的拡大とは誰も考えない。したがって、地理的拡大は「満洲国」の成立を考えていようが、それによってそのまた二倍以上に拡大したので、ジャンプというべきであろう。つまり、地理的拡大も漸進的になされたわけではない。

農村共同体の心性についても、日本の産業革命と資本主義の浸透による人口流出に伴い、農村が再編されていったことなど、まるで度外されてしまう。たとえば内務・文部の官僚らによって、二宮尊徳の思想を奉じる報徳会が組織され（一九〇五年）、自営農の組合的結束が図られ、旧庄屋層が農産物の小生産者、および農村の地場産業の事業家や地方政治家へとステイタスを変えていった（この時期、一九〇〇年から、柳田國男は農商務省の官僚として、産業組合の初発にかかわり、法制局参事官として『最新産業組合通解』（一九〇二）をまとめ、また、いわゆる僻地の状態を見て歩いた）。

一九一九年には内務省の指導で農村に「民力涵養」運動が興り、「労資協調」の労働協調団体の組織化もはじまる。[4] 一九二三年には被差別部落が全国水平社を結成。このころ、全国の村落の定住者人口がほぼ安定し、以降、いわゆる余剰人口が都市部へ流出する状態になるといわれる。ただし、一九二〇年の国勢調査は戸籍上のそれであり、必ずしも、家族構成の変化を捉えたものとはいえないだろう。

丸山真男「日本の思想」（一九五九、所収『日本の思想』岩波新書、一九六一）は、一九三八年『産業組合』五月号に農政学者が「農家小組合」には「自然村的乃至伝統的結合力」が内在すると論じた論文に、「部落共同体的人間関係はいわば日本社会の『自然状態』」[5]とする思想を見て、これを自然状態における「共同体の心情あるいはそれへの郷愁が巨大都市の雑然さ（無計画性の表現！）に一そう刺戟され、さまざまのメロディーで立ち現われる『近代の超克』の通奏低音をなす」[6]と論じた。まったく的はずれといわざるをえない。それは一九三七年秋に、国民精神総動員運動がはじまり（翌一九三八年四月法制化）、その年のうちに、ナチスのヒットラー・ユーゲントなどの労働奉仕団にならった勤労奉仕団運動が農村に

4 金原左門『昭和の歴史1 昭和への胎動』小学館、一九八三、p.37～45を参照。
5 丸山真男『日本の思想』前掲書、48、51頁。
6 安藤昌益『自然真営道』（1753 一七五三〔宝暦三〕年刊）なども念頭にあろう。のち、「『古層』論」で、執拗低音といいかえられる。執拗低音（バッソ・オスティナート basso ostinato）は低音部の即興に和音が入るが、通奏低音（バッソコンティヌオ Basso continuo）は、グレゴリアン・チャント系で和音感覚はない。いずれにしても比喩で、そのときどきの含意（ニュアンス）によるのだろう。

展開し、全般的に伝統主義の論議が盛んになるなかで、先の自営農の組合的結束が個人よりも「家」、さらには村落のゲマインシャフト（自然発生的社会集団）的結束、すなわち伝統的美風と論じられたのである。資本制生産様式の浸透に抗した農村の自衛策、その展開なども「近代の超克」のうちに数えるのはよい。だが、そのつどの実態的契機と理論化の契機、すなわち歴史性を度外視して「歴史は繰り返す」と理論化しているのと大差ない。それは思想史ではない。

柳田國男は、戦後の『口承文芸史考』（一九四七）で、日本近代に「昔話」が衰退した原因を印刷物の発展のせいではなく、村落の人々の関心が戦時の時事ニュースなどの世間話に向いたことに求めていた。それなりに村落の変貌を掴んでいた。その柳田の戦前期の「昔話」研究によって、丸山政治思想史の欠陥を補おうとした人々は、丸山の通奏低音論のレトリックに囚われていた、といったら言い過ぎだろうか。それは、個々の歴史事象をアレゴリー（寓意）のうちに絡めとるものであったがゆえに、人々を魅了したのかもしれない。

3 日本近代思想史の分析方法

たとえば自民党・吉田茂内閣が保守勢力の拡大をはかって、レッド・パージにあった人々を政権に呼び返した、いわゆる「逆コース」の風潮に対して、「国粋主義」はもう御免とばかり、加藤周一が『雑種文化 日本の小さな希望』（一九五六）を突き出したとき、丸山眞男は、先の「日本の思想」の〔あとがき〕で、大筋ではうなずくとしながら、「融合論」は、もう御免と応接していた。そこでいう東西思想の「融合論」は、井上哲次郎『日本精神の本質』(大倉広文堂、一九三四、『増補修正』版、弘文堂書店、一九四一)が、その前半で『大学』『中庸』など儒学、また道家思想や陽明学などを引き、大乗仏教やドイツ哲学などにも言い及んで、「惟神の道」とは「至誠」「神人合一」「公明正大」や「清明心」などと同じ意味で、天地自然に従うことであり、普遍的なものだと説いたことを指している。

「公明正大」は日中戦争期に中国戦線にスローガンの文字として踊りもした。「至誠」は『孟子』(離婁上)、『礼記』(中庸)に見える語。漢訳仏典にもあるらしい。「神人合一」はシャーマニズムなどいわゆる原始宗教に発して、宗教一般の神秘主義に拡がり、それに根差してさまざまに理論化される。「公明」は、中国南北朝期の文人・劉孝標『弁命論』に、「正大」は『周易』(本卦 雷天大壮)中に見え、どちらも珍しくはないが、系統がちがうので、四字熟語としては東洋の古典にはまず見られないようだ。むしろ、西欧の "fair and just" などの訳に「正大にして、かつ公明」などと現れて一般化した、とわたしは推測している。[7]「清明」は、もと道教系節季の「清明節」などに見える語だが、日本古代の史書には、ヤマト王権に、ふた心なく服従することにしか用いられていない。

これらの語を同意と見て、それをもって「惟神(かんながら)の道」と見なし、その根本義を「天地自然(天地のあるがまま)に従うこと」(自然随順)と一括し、「日本精神」の神髄と説いたのは、ドイツ哲学や東洋思想全般に通じた井上哲次郎ならではの概念操作(レトリック)である。だが、『日本精神の本質』の後半には

7　エドワ・ジョージ・アール・リットン・ブルワー＝リットン卿の恋愛小説『アーネスト・マルトラヴァーズ』(*Ernest Maltravers*, 1837) の丹羽淳一郎による翻案『欧州奇事 花柳春話』(一八七八) 中に見える。

「神国実現・世界統一という立派な、雄大な理想」が神道の長所の一つと述べ、仏教を自分だけ魂が救われればよいとする考えと退けるところがある。とすれば、「神道」は普遍思想とはいえないわけで、いよいよ井上哲次郎の概念操作のご都合主義は明らかだろう。

加藤周一の「雑種」は交雑の意味で、東洋文化に西洋文化を「接ぎ木」する比喩で語っているので、丸山はそれを切り返したのだが、「融合」と形容したのは、議論がなされず、伝統が形成されない思想状況への批判が背後にあり、雑多な観念をこきまぜているという含意であろう。欧化主義の主張にも読めるが、比喩の応酬では、それこそ議論が蓄積されない。

「接ぎ木」の比喩で語られている加藤の「雑種」に対しては、「雑」は雑然に示されるように、さまざまなものが集合している状態をいうのがおおもとの意味だと返せばよかったのだ。なぜなら、ドイツから帰国して間もない井上哲次郎の『勅語衍義』(一八九一)などが、まさにそうだったからだ(『日露戦争の時代』平凡社新書、二〇二三、「第二章」を参照されたい)。つまりは、西洋思想のさまざまを受け止めた個々の明治思想の雑種性の吟味に向かうべきだった。そして、その吟味は、柳田國男の民俗学的探究の初発からその進展にも向けられてしかるべきだろう。

4 柳田國男民俗学の展開

柳田國男は農政学を志す帝国大学法学部の学生、まだ松岡國男だった時期に抒情詩、それも恋愛の新体詩に夢中になった。その恋愛至上主義ともいうべき新体詩の世界から、なぜ、彼は降りて、農政学の世界へ戻ったのか。それについては、すでに詳しく調べた岡谷公二「松岡國男の恋」（一九九五）をわれわれはもっている。そこには、彼が親友だった田山花袋と距離を置くようになっていった理由も、また同時に、柳田家に養子に入り、官界に出る決意を固めた経緯も明らかにされている。

前者は、花袋が國男の恋を題材にした小説を何本も書いていたためであり、後者は、二つの恋愛に破れたためだが、それだけでなかった。一人の女性との関係は縺れ、ほどなく彼女は結核で亡くなった。その恋愛の縺れに、國男が深い罪障感を覚え、それゆえ、彼は詩に別れを告げ、そして柳田家に養子に入り、また官界への道を歩みだした。岡谷氏は、それをロマン主義が現実妥協的な態度に反転したと見る。そして國男はアンビヴァレントを抱えたと推測している。

ただ、その恋愛の結末に、國男が深い罪障感を覚えた理由は岡谷氏も明らかにできなかった。おそらくは、亡くなった女性のプライヴァシーにかかわる隠匿すべきことだったのだろう。折口信夫は、柳田國男との長いつきあいを通じて、彼の謹厳実直さの底に、己れを鞭打つような倫理的なものを感じ、それが若き日の恋愛の挫折によってもたらされたものと直観していたのだと思う。あるいは、柳田國男の民俗学がエロスの影を遮断している秘密を嗅ぎ当てていたのかもしれない。

岡谷公二氏は、柳田の戦後の論考をまとめた『海上の道』（一九六一）、とりわけその表題作（一九五二）の想像力の解放に魅せられ、明治・大正期の柳田國男の仕事に取り組むうち、柳田民俗学の評価が昭和戦前・戦中期に偏ってなされていることに疑義を覚えたという。「松岡國男の恋」を巻頭におく『柳田國男の恋』（平凡社、二〇一二）は、その第三章〔殺された詩人〕で、柳田民俗学の展開を、明治・大正期、昭和戦前期、昭和戦後期に分けて、新たな見渡しをつくっている。ここでは便宜的に、それぞれ前期・中期・後期と呼ぶ。

岡谷氏は、幼少期に夢幻の世界にさらわれがちだった國男少年が、短歌の師匠、松岡辰雄が「かくり世」（平田篤胤が「現世」〔うつしよ〕に対して、死者の霊の住む永遠の世界をいったもので、同じ国土にあって、いわば幕を隔てた向こう側）を信じていたことに触発され、「幽冥談」（一九〇五）なる一文をものし、天狗の伝承に関心を集めたりしたところから、民俗学の世界へ歩んでいった道筋をトレースし、他方、飢饉で苦しむ農民を救済する志から彼が農政学へ歩んだことと二律背反的で結びつかないと述べている。そのアンビヴァレンツを抱え込んだ柳田國男には、しばしば神経衰弱など一種の精神的危機が訪れること、それが彼の歩みに大きな転換をもたらしたと指摘する。

柳田の資質として夢見がちなところがあり、想像力を発揮する時期と、現実につこうとする意志とのアンビヴァレンツを抱えていたことを明らかにすることで、岡谷氏は、例の「天皇制に骨絡みだった」説をはじめとする一方的な決めつけはもとより、昭和戦前期の仕事は大正期までの歩みの集大成とする見解をも見事に覆している。なぜなら、天狗伝承などへの関心は『遠野物語』など山の伝承へ、そしてさらには漂流民や被差別部落民へのアプローチへと展開したが、昭和戦前期の仕事は、完全に「常民」、農村に定着し、いわば普通に暮らす人々の暮らしに閉じているからである。それは対象を山の人々から平野の人々に移したのではなく、そのあいだに明確な転換がある。

経歴の上でも切断があった。柳田國男は一九一九年、貴族院書記官長を辞し、朝日新聞の客員になった。郷土研究会の呼びかけ人だった新渡戸稲造が国際連盟事務次官についたことから、柳田も一九二一年に連盟の委任統治委員をつとめた（たしかジュネーヴで、柳田はスイス山間部の少数民族の伝承研究者を尋ねていたはずだが、いま確かめている暇がない）。が、一九二三年、関東大震災の報を受けて、委員を突然辞めて帰国、そして民俗学研究に本腰を入れていったのである。

だが、わたしは逆に、岡谷氏のアンビヴァレンツ図式では、そのときどきの柳田の姿勢の転換の契機が読み切れないいきらいが生じると思う。というのは、ひとつには、前期（大正期まで）と中期（昭和戦前・戦中期）のあいだに断絶を考えない人たちは、柳田の民譚（昔話）研究が連続性をもって展開していると見るだろうからだ。つまり柳田民俗学の総体としては、連続性と転換を見るべきなのだ。が、昔話研究にも、それなりの転換はある。それが総体としての前期・中期の転換と一致しているかどうか、吟味してみなくてはならないだろう。

5　叙情詩人の挫折

まず、國男の恋の痛手からの回復について手短かにいえば、彼はもともと飢饉で苦しむ人々にふれ、農政を志した人である。自分の志の道に戻ろうと決意したのである。

そして、そのとき、養子の口の話がかかった。國男は、兵庫県姫路の奥の郡部に、近くの神社の神官を務める人の六男坊に生まれた。父親は、もと姫路藩につながりをもつ儒医だが、柳田は、のちの回想談『神道と民俗学』（一九四三）の「自序」に、父親を「年を送った敬虔なる貧しい神道学者」と記している。本居宣長や平田篤胤の「国学」に心酔し、医者を辞めて神官になったという。維新の混乱も、その転身を手伝ったようだ。それゆえ、國男は、東関東で開業医を営む長兄のもとで中学校の時期を過ごし、一高、帝大と進んだ。官界への道も開けていた。養子の口があって不思議ではない。

柳田家は、もと飯田藩士で、いわば維新負け組同士のあいだの婿取りである。飯田藩は小さな藩で、幕府の勘定方に雇われ口があり、それもあって維新政府からは冷遇され、城も取り毀しにあっている。旧藩士の子弟は勉学に励んで出世の道を探るしかなかった、とその子供や孫の代には伝えられていた。

柳田は一九〇〇年に農商務省に勤務し、法制局に移って『最新産業組合通解』(一九〇二)をまとめた。産業組合は、明治政府の殖産興業政策を農村末端にまで降ろすものともいえるだろうが、一八八〇年代の松方デフレと日清戦争をくぐったのちの資本主義経済の農村への浸透、小作農の増加と大都市への人口流出に対する防衛の意味が強く、小農層が互助組合を組織し、農具や種子、肥料の共同購入などにより、生活を保持し、さらには果樹など換金作物を奨励して育成する施策である。併行して、一九〇五年には岡田良平、一木喜徳郎ら文部・内務官僚の主導で二宮尊徳の徳目を奉じる報徳会が組織され、自作農の再編を促した。報徳会は全国に展開し、一九一二年には中央報徳会と改称する。

柳田國男は、文芸家の友人たちと積極的に交流、一九〇七年二月から岩野泡鳴、島崎藤村、田山花袋、小山内薫らとイプセン会を始め、一八八〇年代の象徴主義への転換期の戯曲に取り組んだ。そして、柳田國男は『珍世界』いう雑誌(出版社未詳)の一九〇九年三月号に「天狗の話」を寄せ、北欧にはフェアリーが今なお活動していることにふれて、それはケルトの民族性が強いこと、それに比して日本の鬼は陰鬱といいながら、平地といまだに隔たった山地の生活への関心を寄せていると喧伝し、類話伝承の類を寄せてほしいと訴えている。農政にかかわる官吏の言であることは明らかだ。

その同じ年、柳田がまとめた『時代ト農政』(一九一〇)には、報徳会にふれた記事もある。平地の農政は進行している。だが、山地はまだだ。自分のような新入りは、彼らの目の届かないところをまわろう。椎葉など日向の山地、遠野など東北の山深い土地を歩き、その実態調査の報告を上げていった。いわば趣味と実地仕事が結びついたといえばわかりやすいか。

椎葉村では狩について村長の口授を受けて書写、或旧家の猟の伝書を添え、序文を記して『後狩詞記』(一九〇八)を刊行、室町時代、多賀豊後守多賀高忠の『狩詞記』にちなんだタイトルだった。徳富蘇峰、山路愛山が好評を寄せた。民友社の雑誌『国民之友』は、政経の論のほか、「文学」(人文学の意)では「史伝」(史と伝)を中心に据えていたからである。

そして、水野葉舟に紹介され、東京専門学校で文芸を志す青年、佐々木喜善から遠野の炉辺話を聞き書きし、『遠野物語』(一九一〇)にまとめ、ハインリッヒ・ハイネ『流刑の神々』(*Les Dieux en Exil*, 1853)に触発された序文を構えた。「国内の山村にして遠野より更に物深きところには又無数の山神山人の伝説あるべし。願はくは之を語りて平地人を戦慄せしめよ」と。これは文学青年のあいだで知られていた。一九一四年の年の瀬、神田の古本屋の露店で『遠野物語』を見つけ、なけなしの銭をはたいて購入した感激を詩に綴った青年もいた。折口信夫である。のち釈超空の詩「遠野物語」(一九三九)は『古代感愛集』(一九四七)に収められる。

もう一冊、メソジストの伝道師で、山梨で布教活動の傍ら、庶民の生活の見聞を人類学者・坪井昭五郎の主宰する『東京人類学会雑誌』に発表していた山中共古らと交わした往復書簡を柳田は『石上問答』(聚精堂、一九一〇)にまとめた。のちには、山中共古の民俗記録集『甲斐の落葉』(一九二六)を郷土研究会の叢書に収めている。

ついでにいえば、『時代ト農政』刊行の年、柳田は内閣書記官記録課長を兼任している。彼の目配りのよさには中央官僚のあいだで早くから定評がついていたようだ。

のち、柳田は『時代ト農政』を復刻した際、その「付記」(一九四八)に面白いことを書いている。「第一次世界大戦後、私は誤解して世の中がすっかり変わってしまひ、それまでの農政の学問は役に立たなくなるものと考へた」と。この前半は、一九二〇年代の柳田國男の転職にかかわるので、のちに取り上げて考えることにする。ここで「それまでの農政の学問は役に立たなくなるものと考えた」に着目するなら、いま、わたしが「趣味と実地仕事が結びついた」と述べたのは、思わず口を滑らせてしまった部類に入るらしい。むろん、第二次世界大戦後の述懐の一部である。勤務時間外の仕事であろうと、『郷土研究』などの雑誌を刊行するなどしたことを、高級官僚の趣味などと扱ってほしくない、という気持もこめられていよう。『郷土研究』の評判が高く、官僚のあいだで取りざたされるようになったために刊行を止めた、という回想もある(後述)。が、実直な柳田が、すべてを「農政の学問」、その一環としてなしてきたと自らいう姿勢に偽りはあるまい。

6　他界願望について

抒情詩人としての活動を断念したのちの柳田國男のエッセイや山民からの伝承や炉辺話の編集に向かった志向を指して、赤坂憲雄は「他界願望」と呼ぶ。その「他界」は、自分の属さない世界と死後の世界の二つの意味を併せて用いている限り、問題は生じない。だが、それを神秘主義、あるいはロマン主義と理解すると、柳田が夢見がちな農政官だったかのように思えてくる。子供のころ、神隠しにでもあいそうな気質だったとか、柳田自身、生家が山人の系譜を引いていると思っていたことなどが浮上してくる。

そこでいま、一八八五年、松岡國男が十一歳の頃の出版物に目をやってみる。この年、伊藤博文による文部省改組にあって、西村茂樹とともに編集局を辞した山県悌三郎という人が『理科仙郷』という児童向け図解入り翻訳シリーズ（普及社、全10巻）を刊行していた。当時の児童向け書籍としては二万部という破格の売れ行きを示したといわれている。もと本はイギリスの女性作家、バックレー（アラベラ・バートン・フィッシャー）の『*The Fairy-land of Science*』(1879)で、子供向けに身近な自然に満ちている不思議について正確な知識を与えようという姿勢の明確なものである。子供にはその年齢にふさわしい教育をすべきというヨハン・ハインリヒ・ペスタロッチらの考えが拡がり、自然界をフェアリー・ランドに見立てて子供の関心を誘い、理科教育をしようという戦術が日本でもとられていた。そのシリーズに國男がふれたたかどうかは、わからない。

その翌々年、一八八七年四月に『西洋故事神仙叢話』が刊行された。菅了法（桐南居士）がグリム童話から「仙獣を逐ふて公子金城に入る」（金の鳥）、「シンデレラの奇縁」（灰かぶり）など十一話を翻訳したもので、扉に「FAIRY TALES TRANSLATED BY SUGE」とある。「SUGE」は「SUGA」の誤植の類。英語からの重訳である。

菅了法は、浄土真宗東本願寺からヨーロッパ視察に派遣され、やはり同派から派遣されてオクスフォード大学でマックス・ミューラーに学んでいた南条文雄から手ほどきを受けた（菅了法はジャーリストとして『国民之友』などで活躍し、のちに衆議院議員）。こうして、ヨーロッパのフェアリー、言い換えるとスピリッツ、精霊たちが日本でも息づきはじめたのだった。

ついでに小学校の理科教育にふれておくと、帝国憲法制定の一八九〇年に「小学校令」が出され、翌九一年に「小学校教則大綱」も出た。第一条に「徳性の涵養」を謳い、〈理科の要旨〉には「理科は、通常の天然物・及び現象の観察を精密にし、其の相互・及び人生に対する関係の大要を理解せしめ、兼ねて天然物を愛する心を養う」と定められ、その後の理科教育の方向を決定づけたとされる。この「天然物を愛する心を養う」に、第二次世界大戦後の教育界は科学教育を歪めるものと非難を浴びせた。そのような立場からすれば、自然界をフェアリー・ランドに見立てることなど、とうてい容認されまい。ここでいいたいのは、明治中期に自然界を仙境に見て、心躍らせるような少年がいて不思議はないこと、その少年が自分の先祖が仙境に生きる人々の仲間だったと想像しても特異なことではあるまいということに尽きる。その少年が長じて、幸運にも山地を見て歩ける職に就いたのだ。

そして何度もいうが、象徴主義の浸透を受けて、日本の「自然主義」の理念は混乱を極めていた。いや、そもそもナチュラリズムは自然志向一般を指す語である。ジュール・ミシュレがその『ルネッサンス』(*Histoire de France, vol.7 Renaissance*, 1855)〔序文〕で多神教の神々やニンフなどのスピリッツが飛び交う原始信仰をそう呼び、博物学趣味も自然保護思想もそう呼ばれる。エミール・ゾラの文芸上の自然科学志向を、ゲーオア・ブランデスがイプセンの戯曲、虚偽で覆われたブルジョワ家庭をノーラが子供も連れずに飛び出す『人形の家』(*Et dukkehjem*, 1879)などの作風にまで拡張したことの方が逸脱していたのだ。ヨハネス・フォルケルトは、ナチュラリスムスが深まれば、自然の背後の神秘に向かうといい、後自然主義を唱えた。それは日本の文芸界に概念の混乱をもたらしたが、用法としては正しい(森鷗外訳『審美新説』一九〇〇刊)。

イプセンの『野鴨』(*Wild Duck*, 1884)の舞台に響く、撃ち落とされた悲しい野鴨の鳴き声は、文明社会を揺さぶる大自然の呼び声の象徴である。いかに語るか、を抜いてしまえば、イプセンは相変わらず「自然主義」の劇作家だろう。いや「大自然主義」に転じたといった方がよいか。

花袋は小説『野の花』(一九〇一)の序文で、現実のあるがままを書く小形天外のいう「自然主義」すなわち写実主義に飽き足らず、「大自然の面影」を書きたいと唱えた。少し前には、フォルケルトの用語を借りて、「後自然主義」の語も用いている。だが、作品の方は、そのほんの試しのつもりらしく、紀行文で鳴らした腕で利根川の岸辺の自然を描写し、それを背景に、かつての國男の悲恋を展開したものだった。その作風も手伝い、正宗白鳥は花袋のいう「大自然主義」の概念の不明確なことを突いて、論争になった。

國男の方は、文学者の集まりの席で、花袋がいつまでも自分の恋愛を小説の題材にとっていることを迷惑だといったらしい。すでに養子に入る話が進んでいたからだ。一九二〇年ころなら、いや、以降でも、モデル問題になるところだ。

國男は、柳田姓になったのち、やはり人前で、花袋の『蒲団』(一九〇七)を愚劣と切り捨てたという。壮年の作家が内弟子に若い女性を抱えた日々に「内に秘めたる自然」が発揚して煩悶する話である。くだらない恋の懺悔話と思ったちがいない。

正宗白鳥は、アメリカで『蒲団』を一読して、花袋が馬鹿な小説を書いた、と大笑いしたと、のちに書いている(『自然主義盛衰史』一九四八)。『蒲団』で花袋はセルフ・パロディーをしかけているのだが、後藤明生が『小説――いかに読み、いかに書くか』(講談社現代新書、一九八三)で指摘するまで、長く、そう思われてこなかった。滑稽感を出すのが下手なこともあろうが、題材ばかりに注目し、いかに語られているか、を度外視するからだ。白鳥にしても、なるほど「大自然主義」すなわち本能主義だ、と思って笑ったのかもしれない。

柳田國男は「口承文芸大意」(一九三二、のち「口承文芸とは何か」『口承文芸史考』(一九四七)に収録)で、「私小説」すなわち身辺雑記と決めつけている。これは「昔話」を古典「物語」類や江戸前期の子供向けの講談など「赤本」、また当代の「大衆小説」などと区別する論脈でのことである。「私小説」(Ich Roman. roman personage)は、ロマン主義のなかからはじまる。ゲーテが自分の失恋の経験をもとに、失恋の痛手から自殺した青年の残した書簡で構成する『若きウェルテルの悩み』(*Die Leiden des jungen Werthers*, 1774)がその起源である。自殺してはらないというキリスト教の教えより、自分の感情を重んじる青年たちの登場を告げて、ヨーロッパでセンセーションを巻き起こした。以来、恋愛経験を懺悔するかたちのものが多いのはたしかだが、なぜ、経験談の語り方にもさまざまあることを度外視して、「私小説」すなわち身辺雑記と決めつけたのか。花袋『蒲団』を一読した感想が響いているのかもしれない。なお、柳田國男は泉鏡花の小説を生涯楽しんでいた。

それやこれやで、柳田國男は「自然主義」と「私小説」を嫌ったといわれる。戦後の文芸界では、『蒲団』が指標とされ、日本の「自然主義」が「私小説」に流れたと定式のようにいわれた。

「私小説」のはじまりが『若きウェルテルの悩み』にあること、日本では一八九〇年にはじまったことなどは、永井荷風が随筆「矢はずぐさ」(一九一六)の冒頭近くで説いていた。「私小説」は、語り手＝主人公を造形するが、面倒なので随筆にするとも。そこに「私小説」とエッセイの違いがある。同じく自身の愚かさを暴露しても、「私小説」と懺悔録、告白録とは、語り方（ナラティヴ）がちがう。それは「小説」とエッセイというジャンルの違いに規定されている。

ここでちょっと寄り道になるかもしれないが、ジャンルとナラティヴの関係について、「私小説」を入れて考えておきたい。なぜ、柳田國男において、「私小説」＝「身辺雑記」という同一視が成り立ったのか、を考えることにもなるからである。

7 ジャンルとナラティヴ

ここでいう「小説」は、〈書き手＝語り手〉形式においてノヴェルとロマンに跨るフィクションと考えてよい。小説では、ふつう、語り手（＝書き手）が主要登場人物（主人公）を客体化して語るが、そうでない場合もある。たとえばゲーテの『ウェルテル』は書簡体で、それぞれの書簡は、ウェルテルの思ったことを直接、生のまま、エッセイのように語る。が、その堆積から一定の客観像が（読者に）浮かび出てくるように書かれており、しかも、後半には、その書簡集の編集者が登場し、コメントする。それによって、ウェルテルの客観的な存在は形式上、保障されていることになる。むろん、フィクションである作品の内部の話である。ゲーテが自分の書簡をアレンジして用いているかどうかは、度外視してよい。

それに対して、日本の「心境小説」――主人公の外貌や職業など客観性を全く造形することなく、語り手の思ったことを直接、生のまま、エッセイのように語る志賀直哉「城の崎にて」（一九一七）を典型として想定すると〈主人公＝語り手＝書き手〉形式となる。同じ形式でも、佐藤春夫『田園の憂鬱』（一九一八）のように、主人公の境涯が読者にそれとして浮かびあがるように書かれているものもある。ウェルテルの書簡に記された彼の行動を通して、彼の境涯が浮かんでくるのと同じだが、『ウェルテル』の場合、読者がどう思おうと、ウェルテルは自殺し、ゲーテは生きていて、それを書いているのだから、ウェルテルとは別人である。〈主人公＝書簡の書き手〉≠作者（この小説の書き手）。ゲーテは、伝説をもとに詩劇『ファウスト』(*Faust*, 1808, 33)も書けば、植物の変態論も論じた人であり、ここでは、あくまでも「この小説の書き手」として振舞っているわけだ。

田山花袋『蒲団』の場合、主人公の壮年の作家は、花袋その人を想わせるように書かれている。そこで、花袋自身の「内なる自然」を自己暴露していると見なされた。しかし、その対象である内弟子の若い女性は、フィクション内の存在である限り、実在したかどうかも定かでない。一時、それに似た女性が花袋の家に同居していたことが判明したところで、花袋自身の「内なる自然」が小説のあるがままに発現したのかどうかは、どんな読者にもわからない。たとえ、花袋自身が「自分の『内なる自然』をあったがままに書いた」と証言したとしても、それは『蒲団』の書き手が、その経験を材料としてフィクションのなかに持ち込んだということを意味するにすぎない。そこで「あったがままの現実」に取捨選択が行われ、また解釈が加えられる。花袋が、たとえ他家の妻のことを考えながら歩いていて、松の根に躓いて転んだことがあったとしても、それを小説中にとりいれるかどうかは、書き手の選択にかかわること。その前の作「少女病」(一九〇七)は、主人公が美少女のことばかり考えていて、駅のプラットフォームから転落するところで幕を閉じる。読み比べれば、その応用だとはわかる。が、女弟子を強く意識していることが書かれもしないうちに、主人公が松の根に躓いて転ぶところを書いても、何度、転ばせたところで、足元に注意がいかない人だと解釈されてしまえば、意味をもたない。作中の出来事についての作家の解釈とそれを持ち込む意図と、読者の解釈がすれちがっているわけだ。この場合、「語り方」の問題は、ストーリーの展開、要素の配列にかかわる。

これを中年男の性の煩悶を書いた小説と解釈し、「人生観上の自然主義」と評した人は、「文芸上の自然主義」ではなく、という含意になるわけだから、そこで展開しているのが、作家の生活上の「あるがまま」ではないことは承知していたかもしれない。「自然主義」をすなわち「あるがまま主義」という含意で用いてはいても、花袋がそれ以前に「大自然主義」を目指したいといっていたことを知っていたはずで、性欲という本能、すなわち「大自然」の営みに悩む人間を書こうとしたものと解釈したわけだ。その意味では、主人公の滑稽さに気がついていたかもしれないが、それを言っていない以上、それは伝わらないので、気がついていなかったとしてよい。柳田國男は、「笑いの本願」(一九四五)で、古くからある「をこ」(烏滸)を、自ら誹られ、笑われることと正確に捉えていたが、このときには、花袋がそれを試みていたとは気づかなかった。

俳諧のもとは、誹って皆が笑うという意味の「誹諧」で、それは言葉に限らず、仕草や失敗一般に用いる。言葉の芸で「をこ」を演じることもできるし、自分を洒落のめすこともできる。それはエッセイでもできるし、「私小説」でもできる。たとえば、ギリシャ牧野といわれたころの牧野信一の「私小説」をセルフ・パロディー(自己戯画化)と読まない人は少ないだろう。これらの場合は、作者が自己を二重化し、語り手として自己を客体化して聴き手ないし読み手に提示していることになる。のち、その柳田國男の随筆を紹介する機会があろうが、〔主人公＝語り手＝書き手〕のかたちをとる「私小説」の場合だけ、語り手が〔主人公＝書き手〕を客体として提示することによって可能になる。

そのように考えてくれば、セルフ・パロディーは、ジャンルを規定するナラティヴを超えた、上位のナラティヴということになる。つまり「語り方」にも、ジャンルと密接にかかわるものと、ジャンルを跨いで成立するものとの二種がある。「語り方」の巧拙にも、その二面がある。

繰り返すが、その語り方を無視するなら、自身の身辺の出来事を語る随筆、すなわち身辺雑記と「私小説」が同類に扱われることになる。柳田國男が、そのような操作を意図してか、意図せずにかは、ともかくしたのは、彼の前に、それらとはまるで別種の、語り継がれる「昔話」の魅力があったからだろう。彼と同時代の小説では泉鏡花のものが、それを潜めていたということだろう。

そこで、語り継がれてきた「昔話」の魅力を考えるなら、「これは本当にあったことかどうかはわからないが、とにかく、あったこととして聞いている」という前口上がついて、不可思議なことが実際にあったこととして語られるところに潜んでいるにちがいない。「物語」のなかの出来事について解釈が加えられない「ありのまま」で提示されるゆえに、その不可思議さが人を惹きつけてきたとベンヤミンは解いていたが、それにはおそらく、柳田國男も賛同しよう。

その出来事に教訓がついていても、それが出来事の因果の説明、すなわち解釈であっても、不可思議さが存続している限り、言い換えると、別の解釈可能性を聞き手に感じ取らせる限り、それは語り継がれることになるはずだ。だが、どんな「昔話」も、最初は新しい出来事として語られたはずだ。とするなら、新しい出来事を語ることに由来するノヴェルの場合も、因果の解釈つきであろうと、別の解釈を呼び起こす余地を残していればいるほど、読みつがれる可能性が大きいことになろう。探偵小説のうち、謎解きの面白さを魅力とするものでも、別解が潜んでいるような仕組みをもつものがあるのもうなずける。たとえば前期の江戸川乱歩がその工夫をしている。それに対して、長篇小説の場合、因果の糸でつないでゆくところに魅力をもつ限り、出来事性は二の次になる。そうでなく、出来事性だけが突出して連続する工夫がなされれば、その弊は免れることになる。ここでは、ナラティヴの種類と、ジャンルの関係について少し考えてみた。

8『近世奇談全集』のこと

柳田民俗学の著しい特色として、すでに文字化されてきた伝承に対して、山間僻地に活きている伝承の採集により、民俗史の考察を進めることが強調されたことは言を俟たない。それゆえ、そのような彼自身の仕事の嚆矢として、ごく初期の『後狩詞記』(一九〇九)、『遠野物語』『石神問答』(ともに一九一〇)に関心が集まる傾向がある。

だが、そののち、柳田國男が自身の仕事に「民譚」をタイトルにつけたものに、「甲寅叢書」(甲寅叢書刊行所刊行、郷土研究社発売)の一冊として刊行した『山島民譚集』(一九一四)がある。これは江戸時代の随筆類にいわば手当たり次第にあたって、珍談・奇談の類を集めたものである。また、柳田國男が「口承文芸」の語を初めて用いた「口承文芸大意」は『真澄遊覧記信濃の部』(一九二九)の刊行記念会でのこと。つまり、柳田が在来の文献による民俗史研究に対して当代に活きる民譚、「口承文芸」の採集を新たな民俗史研究の方針を固めたのは一九三〇年代に入ってのことであり、それが『郷土生活の研究法』(一九三五)などに明らかにされた。これは柳田民俗学に関心をもつ人々には、改めていうまでもないことのようでありながら、一九二〇年代までのその歩みについて、案外、取り落とされてきたことが多いように思える。

取り落とされてきたことのひとつは、『遠野物語』などに先立つ一九〇三年三月、柳田國男と田山花袋との共編で『校訂 近世奇談全集』が博文館の続帝国文庫の第47編として刊行されていることである。『近世奇談全集』は「全集」を名乗っているが、一八世紀に奇談を集めた説話・随筆集五篇に校訂をほどこしたもの。一八世紀初頭、俳諧師・椋梨一雪が『古今著聞集』に擬して撰述、部立てした『続著聞集』を紀州藩士・神谷養勇軒が再編したとされる『新著著聞集』、会津藩に伝わる怪談類を集めた『老媼茶話』、江戸後期の三好想山が奇談類を編纂した随筆『想山著聞奇集』、そして一八世紀後半、金沢の俳諧師・随筆家、堀麦水が加賀・能登・越中に伝わる妖怪変化譚などを編んだ『三州奇談』正続からなる。

その本扉には、一九〇二（明治三五）年に『アカツキ叢書』の第五編として書き下ろした小説『重右衛門の最後』で作家としての力量が認められた田山花袋の名が先に来ているが、奥付は柳田國男の名が先である。そして一九〇二年に法制官となった柳田國男がこれらの原稿整理にかかったことは『柳田國男全集』別巻1（筑摩書房、二〇一九）の年譜に明らかで、柳田自身が企画したものと見てよいだろう。

続帝国文庫の全体は、いわゆる全集ものの嚆矢として刊行された帝国文庫の流れに、明治中期に盛んになる江戸時代の刊行物、とくに柔らかいものの活字翻刻を中心に補足していった性格が強い。たとえば、続帝国文庫の第一編は『真田三代記 - 附・日本武士鑑』、第二篇は曲亭馬琴の『近世説美少年録』など、第三、四編は大和田建樹編による『日本歌謡類聚』（上下巻、一八九八）で、古代の「大歌」にはじまり、「催馬楽」などから小唄類など俗曲、浄瑠璃、地方民謡にいたる集成である。つまり、柳田國男は、一八九九年に博文館に就職し、校正に従事していた田山花袋に企画をもちかけ、江戸時代の説話・随筆から奇談・怪談ものを集めて、その流れに乗せようとしたと見てよいだろう。

柳田國男には、江戸時代の奇談・怪談類への関心は、かなり早くから芽生えていたと推察される。國男の遺稿「わたしの信条」(『ささやかなる昔』筑摩叢書、一九七九所収)のなかに、「まず第一に幼少の頃から、できるだけ人の読まない本を読み、人の知らない事を知ろうという野心をもって学問を始めたこと、これは今から考えてみると、江戸後期に始まった随筆流行、よく言えば考証学風の目に見えぬ感化だったらしい」と述べている。

また、柳田國男に「余が出版事業」(一九三九)という随筆がある。珍しく茶化したタイトルなのは、岩波書店のPR誌『図書』に寄せたものゆえだが、最初の〈竹馬余事〉には、尋常小学校を終えるとき、「竹馬奔走の傍(かたわら)書き溜めた文章や漢詩など」を一冊にまとめたものについて記され、「標題は亡父の筆」とある。そのタイトルは亡父と相談してつけたとも。

その亡父、松岡操(約斉)は、医者を辞めてのち、漢学の教師をしていた盛年期に本居宣長、平田篤胤に強く惹かれ、晩年、國男が生まれた頃には御社の神官をしていたと回顧談『故郷七十年』(一九五九)にある。幼少の砌(みぎり)から異才を発揮していた國男が、その父親から漢詩や文章の手ほどきを受けていたことは、これらに明らかで、その父親から奇妙なことの調べものに、考証随筆の類があるという示唆を受けていて不思議はない。江戸時代の随筆類には、珍聞異聞が山ほど載っているのだから、それらに早くからふれていた可能性はあろう。[8]

そして、『近世奇談全集』の仕事は、のち、江戸随筆に奇談・怪談の探索を行った『山島民譚集』に直接・結びついてゆく。『山島民譚集』の実際についてはのちに述べるが、そうであってみれば、直接・間接に活きている民譚を集めた『遠野物語』など初期三部作は、彼の前期の仕事のうちでは、むしろ例外に属するものだったことも明らかだろう。

『近世奇談全集』については、もう一つ着目すべきことがある。明治卅六年二月の日付をもつ〔序言〕は、「霊といひ魂といふ、皆これ神秘を奉ずる者の主体にして、わが小自然の上にかの大宇宙を視、わが現世相の上にかの未来相を現ずるものゝ謂なり。現実に執し、科学に執するものは、徒に花の蕊を数ふるを知りて、その神に冥合する所以を知らず」云々と始めて、終わり近くにいう。「二〇世紀の今日に当りて、泰西またモダン、ミスチシズムの大幟を掲げて大にその声、無調の調を聞かんとするものありと。吾人極東の一孤客といへども曽て寂寞の郷に成長し、霊魂の高きに憧れ、運命の深きに感じたるの身、いかでかその驥尾に附して、わが心池をして鏡の如く明かならしむるを願わざらんや」と。そし

8 「随筆」の語は、南宋の洪邁（こうまい）の「容斎随筆」のシリーズに発するが、経書の注や疏についての考証類を部立てなしで繰り広げる形態を指していたと推察される。日本においても、いわゆる抄物から、考証随筆一般に展開した。が、それとは別に、日本においては中世に、一条兼良がおそらく幼童向けに編もうとした撰述書『東斎随筆』、また荒木田守武が恋にまつわる笑い話の類の集成が『守武随筆』の名で知られ、撰述書一般に「随筆」が用いられる傾向が生じており、それが巷説類の集成にも用いられたと見てよい。鈴木貞美『「日記」と「随筆」―ジャンル概念の日本史』（臨川書店、二〇一六）を参照。

て「近世奇談全集一巻、これ吾人が其素志を致せしもの、敢て神秘の深奥に触れしもの多しといふにあらざれど、亦わが国近世に於ける他界の思潮を尽したるものなるを信して疑わず」と結んでいる。

二〇世紀初頭のヨーロッパ文芸の動きを「モダン」と呼び、神秘主義の到来を適格に把んだ姿勢もベルギー・フランス語圏の詩人・劇作家、メーテルランクの夜空の彼方に「深い生命」(la vie profonde)の息吹を感受し、またイプセンの戯曲の象徴主義への展開を見届けようした人の言として受け取ってよい。この〔序言〕も柳田國男の手になるものであろう。

花袋もまた『柵草紙』に連載された鷗外訳『審美新説』(刊行は一九〇〇)で、ヨハネス・フォルケルト『美学上の時事問題』(*Ästhetisce Zeitfrangen*, 1895)が〔自然主義〕の章で、デカダンスをふくむ象徴主義の人びとは「自然主義は陳腐になった」というが、自然の「深秘なる内性の暴露に向かう『後自然主義』(Nachnaturalismus)は、自然の神秘に向かう象徴主義と本質を同じく」していると述べていることを読み、「後自然主義」の語を用いたり、小説『野の花』(一九〇一)の〔序文〕で「大自然」の面影を浮かびあがらせる企図を述べたりした。花袋自身「私は殊に鷗外さんが好きで、『柵草紙』などに出る同氏の審美学上の議論などは非常に愛読した。鷗外さんを愛読した結果は私もその影響を受けた」と書いている(「私の偽らざる告白」『文章世界』一九〇八年九月)。

だが、花袋は「霊魂の高きに憧れ」るところに赴くことなく、やがて『蒲団』(一九〇七)で、内に秘めたる「内なる自然」の暴露に転じて柳田國男の顰蹙を買うことになった。花袋が「霊魂の高きに憧れ」る傾向を見せるのは、いわれているように『時は過ぎゆく』(一九一六)以降のことである。

9『遠野物語』の文体

ただ、この時期の柳田國男が田山花袋とまったく心を通わせなかったというわけではない。國男は、のちまで花袋の「重右衛門の最後」(一九〇二年五月稿)は心に止めていた。それは、ツルゲーネフの『猟人日記』(*Записки охотника*, 1852, sec.1880)に登場する「自然の力と自然の姿」を体現するロシアの農夫の姿を日本にも知った、と前置きしてはじまる作品である。

ツルゲーネフの『猟人日記』は、ロシアの美しい自然のスケッチを背景にした数々の短篇に、農奴の置かれた酷薄な地位を暴くシリーズであり、よく知られるように、ロシア帝政が農奴解放に踏み切るきっかけになったといわれる。農政を志した柳田國男にとっては、それは日本の山間の僻地に置かれた人々の置かれた不条理な現実と重ねられ、彼らが見舞われた酷薄な事件を「自然主義」を標榜する作家たちに紹介したが、彼らはまったく手をつけようとしなかったと回想している。彼らの「自然主義」の理解は、エミール・ゾラが実証主義の流れに棹さして「実験小説」(*Le Roman experimental*, 1880)で唱えた実験医学の応用はもちろん、ヨーロッパの近代ナチュラリズム文芸をより広く見て、ギィ・ド・モーパッサンがしばしばテーマ(題材)にとった人々の過酷な運命に向きあうものは少なかった。

その意味で「重右衛門の最後」は、当の花袋を含めて「自然主義」の語をそれぞれ勝手に流用した日本の作家たちのなかでは、数少ない例外にあたるともいえよう。ただし、花袋がそこに重い意味を託した主人公の「自然」は、重右衛門が置かれた社会的不遇ゆえの野性ではなく、彼が、人並み外れた大陰嚢の持ち主であったこと、その生まれつきの形態異常に託されている（おそらく鼠径部ヘルニア、いわゆる脱腸だろう）。「霊魂の高き」への憧れはもちろん「深秘なる内性」とも無縁といわざるをえない。

さて、問題は『遠野物語』（一九一〇年六月）の文体である。その典型として「三」を引く。

> 山々の奥には山人住めり。栃内村和野の佐々木嘉兵衛という人は今も七十余にて生存せり。この翁若かりしころ猟をして山奥に入りしに、遥かなる岩の上に美しき女一人ありて、長き黒髪を梳りていたり。顔の色きわめて白し。不敵の男なれば直に銃を差し向けて打ち放せしに弾に応じて倒れたり。そこに馳けつけて見れば、身のたけ高き女にて、解きたる黒髪はまたそのたけよりも長かりき。のちの験にせばやと思いてその髪をいささか切り取り、これを綰ねて懐に入れ、やがて家路に向いしに、道の程にて耐えがたく睡眠を催しければ、しばらく物蔭に立寄りてまどろみたり。その間夢と現との境のやうなる時に、これも丈の高き男一人近よりて懐中に手を差し入れ、かの綰ねたる黒髪を取り返し立ち去ると見ればたちまち睡は覚めたり。山男なるべしといえり。

三行目、「不敵の男なれば」の前には「この翁」が省略され、以下、「この翁」を視点人物とする叙述が続く。そして、夢と現との境のようなる心象のなかに「山男」が登場する。それが柳田にとっては「日本のフェアリー」だったことは確認する必要はないだろう。この行文について、花袋の「文体」との類縁性について述べ、二〇世紀への転換期における位置をはかってみたい。

『重右衛門の最後』の語り手は、友人から聞かされていた信州・長野の在の山深い地方を訪れるが、そこはまず、「仙境」と称され、「西洋の読本（リーダー）の中の仙女（フエリー）の故郷」を想わせると紹介されている。その景観は次のように述べられている。

十年都会の塵にまみれて、些の清い空気をだに得ることの出来なかつた自分は、長野の先の牟礼の停車場で下りた時、その下を流るゝ鳥居川の清渓と四辺あたりを囲む青山の姿とに、既に一方ならず心を奪はれて、世にもかゝる自然の風景もあることかと坐ろに心を動かしたのであるが、渓橋を渡り、山嶺をめぐり、進めば進むほど、行けば行くだけ、自然の大景は丁度尽きざる絵巻物を広げるが如く、自分の眼前に現はれて来るので、自分は益々興を感じて、成程これでは友が誇つたのも無理ではないと心から思つた。／小山と小山との間に一道の渓流、それを渡り終つて、猶其前に聳えて居る小さい嶺を登つて行くと、段々四面の眺望がひろくなつて、今迄越えて来た山と山との間の路が地図でも見るやうに分明指点せらるゝと共に、この小嶺に塞がれて見得なかつた前面の風景も、俄にパノラマにでも向つたやうにはつと自分の眼前に広げられた。／上州境の連山が丁度屏風を立廻したやうに一帯に連なり渡つて、それが藍でも無ければ紫でも無い一種の色に彩られて、ふは〳〵とした羊の毛のやうな白い雲が其絶巓からいくらも離れぬあたりに極めて美しく靡いて居る工合、何とも言へぬ。そして自分のすぐ前の山の、又その向ふの山を越えて、遙かに帯を曳いたやうな銀の色のきらめき、あれは恐らく千曲の流れで、その又向ふに続々と黒い人家の見えるのは、大方中野の町であらう。と思つて、ふと少し右に眼を移すと、千曲川の沿岸とも覚しきあたりに、絶大なる奇山の姿！

「自分」という主格をそれとして示しながら、述懐は極力抑えて、「心を奪はれ」た情景描写に徹している。このような描写は、国木田独歩『武蔵野』(一九〇一)中「武蔵野」(原題「今の武蔵野」一八九八)が開発したものといってよい。「武蔵野」の初め近くには、二葉亭四迷訳、ツルゲーネフ「あひびき」(свидание, 1858)の初訳(一八八八)および改訳(『片恋』春陽堂、一八九六収録)から、白樺林のなかに「座して四顧して」光景の変化を描く一節を引くところがある。それを捉えて、今から四〇年くらい前まで、客観および遠近法の成立を論じた人びとがいた。

が、東洋では古代から自然の総体を客体化して「天地」(和語「あめつち」)と呼び、また詩文でも画でも俯瞰による遠近法が用いられ(画では陰影法も)、江戸中期には、すでに幾何学的な遠近法も導入され、北斎などはそれで遊んでもいる。[9] ついでにいえば、日本の「自然主義」は象徴主義の浸透を受けて、統一的な理念の全くない、符丁に終始した。その小説や評論だけを見ていては、それらを含めて印象主義から象徴主義へ向かった二〇世紀への転換期の文芸に接近することなど、とうてい覚束ない。[10]

「武蔵野」のナラティヴの実際は、己れを一個の感覚の受容器と化して一帯を歩きながら、光景の変化

---

9 鈴木貞美『「日本文学」の成立』作品社、二〇〇九、第3章、鈴木貞美『日本人の自然観』作品社、二〇一九、第2章を参照。
10『吉田精一著作集 第7巻 自然主義研究』(一九八一)「I 自然主義文学運動の概観」等を参照。

を眼で追い、聴こえてくる物音に耳をそばだて、全篇を通して、武蔵野の印象を散文詩のように示し、その案内記を構成する。その文章は、客観描写でもなければ、内面の述懐に向かうこともなく、永遠（エターニティー）と一体化する境地や、木々が光と熱に溶けだしたような、主客が混融した「情景」に焦点を結ぶ。この叙述は『武蔵野』中の随想的短篇「小春」に示されているように、ウィリアム・ワーズワースの詩句に見える「万物の生命」(life of things)の感受や印象主義を志す画家から学んだ印象の再現なのだ。

古代から東洋の情景の表現は「情＋景」（逆でもよい）のかたちをとるか、「寄物陳思」のように客体の描写に思いを託すか、どちらかの方法がとられてきたが、「武蔵野」では、それらと異なる新しい「透明」な情景描写が実現していた（以降、独歩は短篇小説にも、二葉亭が改訳「あひびき」で開発した「～ている」「～ていた」を含めて、口語常体を用いてゆく。ヨーロッパ諸国語の近代的文体は、国際的共通語だったラテン語の修辞を捨てて、個の内面を直接読者に伝える「透明な」と形容されるが、それと混同してはならない）。そして、やはり『武蔵野』中の随想的短篇「忘れ得えぬ人々」（一八九八）では、深夜、孤愁の想いに囚われるとき、「主我の角がぼきり折れてしまって、なんだか人懐しく」なり、「名利競争の俗念消えてすべての物に対する同情の念の深い」境地を存分に書きたいと漏らしている。万物に対する「同情の念」とは、主客融合の境地にほかならない。

それゆえ、その行程に併行して、まずは、正岡子規が「我邦に短篇韻文の起りし所以を論ず」(1892)で「叙景」の語を用いて「吾人々間が就する客観的万象が直接に吾人の心理に生じたる表象」すなわち心象を題材に取ることを述べたこととの類縁性が浮かぶだろう。子規は「叙事文」（一八九九）を「写実」の語をもって語りもしたが(「写生」は、子規が美術のスケッチの訳語として用いたものを高浜虚子が勝手に借用した)、それは読者に面白味、興味を覚えさせるものでなくてはならず、つまりは印象深い記憶の再構成を意味していた(「一日記事につきて」『ホトトギス』第4巻6号、一九〇一年二月)。[11]

次に着目すべきは、尾上柴舟・金子薫園共編の撰歌集『叙景詩』(一九〇二)の冒頭に掲げられた「『叙景詩』とは何ぞや」で、金子薫園がおそらくは景の背後の「気韻生動」の描出を狙った伝統を踏まえ、「自然の景趣に対して」「神秘の影、おのずから、其中に動き、観者をして、血の湧くを覚え、聴者をして、肉の踊るを感ぜしむるもの、これ画の至れるところにして、また、詩に極まれる処なり」と論じて、西欧象徴主義に通じる手法に踏み込んでいった経路も見えてこよう。彼らが短歌に「詩」の語を用いたのは"poetry"の訳語を意識してのことだった。[12]

先に引用した『重右衛門の最後』の部分は、「武蔵野」とはちがい、物音は記されていないし、歩きながら景物の変化を追うところは少なく、当時、人気を集めていた「パノラマ」館の眺望にたとえているように、一点から三六〇度の眺望に視線を巡らす運動にそって山波を描いてゆく。これは、ジョン・ラスキンが『近代画家』(*Modern painters*, 1843-60)のなかで、一地点からアルプスの遠望を端から順を追って描いているのに学んだものだろう。ラスキンは、ギリシャ神話に親炙してキリスト教福音主義から転じ、自然や建物に内在する「美」の根源として生命エネルギーを想定する思想に立っており、その点で、

---

11 鈴木貞美『日記で読む日本文化史』平凡社新書、二〇一六、第4章を参照。
12 鈴木貞美『「日本文学」の成立』前掲書、第11章を参照。

ワーズワースの「万物の生命」の観念と一致していた。[13] 独歩はそれを掴んでいたが、花袋は、その理念には到達するに至らず、それは日本の「フェアリー・ランド」の叙景としてなされている。そして、そののち、土地の人と出会い、会話を交わし、その地方の情・風俗に移ってゆくのは紀行文の伝統的常套である。そして、その先に、この土地に生まれた一人の男が荒くれて犯罪を重ねる生涯が語られてゆくことになる。

自然の精霊の棲まうはずの「フェアリー・ランド」に、荒くれる「野生のエネルギー」が潜んでいたことになる。それはのち、『蒲団』(一九〇七)で、「内なる自然」に煩悶する青年ならぬ壮年男の滑稽ぶりを一人称視点から書こうとし、だが、早稲田派の片上天弦から「文藝の自然主義」ならぬ「人生観上の自然主義」(一九〇八)と評された。「人生観上の自然主義」は、島村抱月が疑念につきまとわれたまま、一度は放り出した語だった。だが、抱月は、そこから脱して、禅の三昧境にも似た一種の「生の象徴主義」に達しようとしていた。『近代文芸之研究』(一九〇九)の扉には「あるがままの現実に即して、全的存在の意義を髣髴す。観照の世界なり。味に徹したる人生也。この心境を芸術という」とある。

が、いまは花袋のナラティヴの行方を追う。『生』(一九〇八)では、フローベール『ボウァリー夫人』(*Madame Bovary*, 1857)を真似て、視点人物を次から次へと目まぐるしく乗り換える手法を試みたのち、『田舎教師』(一九〇九年一〇月刊)では主格をそれと示さず、視点人物からの一元描写をとる。冒頭を引く。

13　鈴木貞美『生命観の探究―重層する危機のなかで』作品社、二〇〇七、第7章を参照。

四里の道は長かった。その間に青縞の市のたつ羽生の町があつた。田圃にはげんげが咲き、豪家の垣からは八重桜が散りこぼれた。赤い蹴出を出した田舎の姐さんがおりおり通った。／羽生からは車に乗った。母親が徹夜して縫つてくれた木綿の三紋の羽織に新調のメリンスの兵児帯、車夫は色のあせた毛布を袴の上にかけて、梶棒を上げた。なんとなく胸がおどった。

視点人物の視点に立って、描写し、述懐する「一元描写」は岩野泡鳴が開発し、自ら命名したもの。『田舎教師』に先だって、泡鳴は『耽溺』（『新小説』一九〇九年二月、一九一〇年五月刊）で「一元描写」に着手していた。〔一〇〕より引く。『耽溺』では、主人公＝語り手（視点人物）は田村義雄で、その主格、「僕」が多用されるが、次の引用部では一つも用いていない。

その夜はまんじりとも眠れなかつた。三味の音が浪の音に聴えたり、浪の音が三味の音に聴えたり、まるで夢うつつのうちに神経が冴えて来て、胸苦しくもあつたし、何物かがあたまの心をこづいているやうな工合であつた。明け方になつて、いつのまにか労れて眠つてしまつたのだらう、目が醒めたら、もう、昼ちかくであつた。／楊枝をくわえて、下に行くと、家のおかみさんが流しもとで何か洗つていた手をやすめて、／「先生、お早うございます」と、笑つた。

自身が夢中で行為しているときはもちろん、「自分が、いま、何をしていたか」と反省する意識も、あるいは自分が他者からどう見られているか、という自意識も、みな自己の意識である以上、人間は自分の意識を離れて何事も認識しえない。客体の描写にしても、意識のリアリズムに徹するなら、文芸用語でいう「語り手の視点」は、意識主体の立場に限定するしかないのが認識の実際である。それゆえ、岩野泡鳴は、やがて世界の小説はすべてが語り手の視点からの描写、一元描写になると予言した。いわゆる客観描写は、「神」の立場に立つ作家の視点と見なされるからである。

花袋はのち『東京の三十年』（一九一七）で、岩野泡鳴のいう「一元描写」を「いささか窮屈だが、あれが本当」と認めた。「いささか窮屈」は、視点人物を一人に絞ると、彼ないし彼女の知覚したことしか書けないからである。その点、泡鳴は、語り手には悲惨でも、それを読む読者には滑稽に映るように書くことに優れていた。たとえば「ぼんち」（一九一三）。その作風は、昭和初年代にかけて、「ユーモアとペーソス」として流行することになる。

そして実際、二〇世紀の世界の小説の趨勢は、いわゆる「神の視点」を離れ、泡鳴の予告どおりになったことは、ジェイムズ・ジョイス、マルセル・プルースト、ウィリアム・フォークナーやヴァージニア・ウルフらがそれぞれの方法で、語り手の内的リアリズムの手法をとったことに明らかであろう。欧米語では、主人公＝語り手の主格は示されなくてはならないが、格運用する日本語では、その必要がないため、省いた方がこなれよく感じる。

ここでいま、「一元描写」にふれたのは、先に示した柳田國男『遠野物語』の文体が、国木田独歩「武蔵野」やそれを真似た田山花袋『重右衛門の最後』の情景描写よりも、さらに視点人物の主格をそれとして示さない岩野泡鳴や花袋『田舎教師』の文体に近づいていたからである。

柳田國男が岩野泡鳴と語らってイプセン会を始めたのは、岩野がギリシャ神話のケンタウルスを人間の男性の「悲哀」の象徴に用いて象徴主義への接近を示した評論『神秘的半獣主義』(一九〇七)を刊行した年のことだった[6]。イプセン会ではヘンリック・イプセンが『野鴨』(*Vildanden*. 1884)などで、象徴主義への転換を示した一八八〇年代の戯曲を扱ったのである。つまり柳田國男『遠野物語』の文体は、山里の炉辺で語られる「日本のフェアリー・テイル」を、岩野泡鳴や田山花袋らがこなした一元的視点からの出来事と心象の記述を、より簡潔な運びにしたものだった。

ところが、『遠野物語』の文体は、柳田國男の文体の展開にとっては、むしろ例外に属するものだった。のち、『山島民譚集』の文章にふれて、彼の文体意識の変化を見ることにしたい。

10 『郷土研究』

一九〇七年頃から、柳田國男は私的な研究会をもっていた。先にふれたように一九〇二年に法制局参事官に任官されたのち、彼は一九〇七年には宮内書記官を兼任しており、直接、農政に携わる時間は限られていた。それが研究会をもった動機と考えてよいだろう。そして、柳田が相談をもちかけたと推測されるが、一九〇九年に諸民地経営・農業経済に関心をもつ新渡戸稲造(東京帝国大学法科大学教授・第一高等学校校長兼任)の肝煎りで、自由な立場で各地方の制度、慣習、民間伝承などを調査研究する「郷土会」を発足させた。農村と都市の変貌が進んでゆく時期である。それに敏感に反応した、さまざま分野の人々が集まった。

日露戦争後、国家主導で重化学工業化が進み、国鉄の線路が全国に張り巡らせられ、商社が活発化するなどいわゆる第三次産業が拡大し、産業構造がドラスティックに再編されてゆく時期である。新中間層（ホワイトカラーの月給生活者）が形成され、中学生・女学生も増えるなど、社会構成も変化してゆく。日露戦争に要した外国債の返却もあり、重税が据え置かれたまま、庶民の経済は苦しく、都市の工場地帯へ人口が集中、スラム街が膨らみ、衛生や風紀の問題が起こる。新中間層は都市の郊外へ住宅を求める傾向が見え、各地の県庁所在地のなど都市も膨張し、農村では自作農の再編が進み、地主層は地場産業の事業家や地方政治家へ、自作農は農産物商品の生産者へとステイタスを変えてゆく。僻地は取り残され、格差は拡大する一方だった。

他方、ドイツのフォークロアの刺戟もあり、文部省が採譜を含めて民謡の収集に乗り出し、その動きは詩人たちにも及び、やがては、北原白秋や野口雨情らの新民謡の作詞につながってゆく。ただし、日本では農村のものは「俚謡」と呼ばれ、中世から遊郭などで一定程度、洗練され、近世の都会に流行した小唄や都都逸などは「俗謡」と呼び分けられていた。その「俗謡」が盛んだったのは、一七世紀から都市の庶民文化が多彩に展開しはじめた日本に限られた現象だろう。ヨーロッパにはなく、中国・朝鮮でもそれほどの発達は見られそうにない。ただし、「俚謡」も「俗謡」も押しなべて「民謡」のように呼ばれるようになるのは、戦後。ＮＨＫによる「素人のど自慢」の放送による。

この時期、内務省は床次竹次郎が地方局長につき、とくに第二次桂太郎内閣（一九〇八〜一一年）のときに、国家財政の負担を軽減するために、神社合祀を強力に推し進め、全国で約一九万社あった神社の七万社が一九一四（大正三）年までに取り壊された。執行は各県にまかせられたので、地域差が著しかった。三重県では七分の一、和歌山県では六分の一以下に神社が削減されたが、京都府は一割程度にとどまったという。

これに対して、南方熊楠が土着の信仰・習俗の毀損、神社林（「鎮守の森」）の伐採による固有の生態系の破壊がもたらされるとして反対の声をあげた。だが、維新期に神社は国家の管理下におかれて、格づけされ、一八八〇年代半ばまでに自営化を求められたのちのことで、神社側に反対する力はなかった。中央官僚である柳田にも反対できるわけがないが、この頃から熊楠と数年間、文通が続いた。

内務省はまた、イギリスでロンドンの中央にスラム街が拡大する問題を解決するため、エベネザー・ハワードが提唱した、農牧業と工場を自営するガーテン・シティーがロンドン郊外のレッチワースなどに建設され、成功していることに刺戟され、イギリスの「田園都市」構想を紹介した。だが、その書物は、ハワードの設計思想とは大幅にズレたものだったといわれている。レッチワースは、株式会社が資金を募って土地を購入し、住人が共有する方式で内部に農地や工場をもち、職住接近の独立したコミュニティを志向するものだった。が、当時のイギリスの新聞を覗くなら、諷刺画は建設現場で働く、いわばヒッピー風の労務者、すなわちクエーカー教徒を描いており、ハワードの構想は宗教的な結束があって可能だったことがわかる。当時の日本では異なる家族間の土地の共有は認められず（戦後は区分所有法ができた）、まず大きな資本が土地を買いあげることが先行した。それゆえ、都市電鉄会社が大都市郊外に田園都市を計画してゆくことになった。土地家屋を買うことのできる層の高級な、のちにいわゆるベッドタウンである。これを典型とする都市形成については、のちに柳田國男が問題視することになる（後述する）。

内務省は農村改良の一環として被差別部落ともとりくんだ。が、それは逆に被差別部落への注目を集め、差別を助長するようにはたらいた。柳田國男は「所謂特殊部落ノ種類」（『国家学会雑誌』一九一三年五月）で、政府が「特殊部落」の呼称を用いはじめたことに抗議し、それらはそれぞれに歴史的な形成過程を持ち、本来、差別されるべき人びとではないことを訴えた。それは、明治が終焉した翌年のことだった。

そして、その一九一三年に柳田國男は雑誌『郷土研究』を、ドイツ流の神話や民話の研究の導入の役割をはたした高木敏雄とはじめた。高木敏雄は帝国大学ドイツ文学科出身、『比較神話学』（博文館百科全書第一六篇、一九〇四）の「序」で、神話の伝播を強調し、比較神話学の重要性を説いている。〔第壱章総説　第壱節　神話学の概念及び其由来〕では「古代の希臘語に『ミュトス』と云う語あり。普通の解釈に従えば、説話或は伝説の義にして、厳密の意義に於ては、歴史のはじまる以前の時代に起原を有する伝説の謂なり。今日の科語に於ては、『ミュトス』とは一般に一個の神格を中心とする、一個の説話の義にして、之を邦語に翻して神話という」と述べ、「神話」と「説話」の関係を整理していた。これによって、中国でも前近代日本でも、あるまとまった内容をもつ話という意味しかもたなかった「説話」（ときに「話説」）の語が「科語」すなわち学術的なタームとなった。[14] それまでは、『日本書記』の神代篇や『出雲

14 たとえば藤岡作太郎『国文学史講話』（一九〇八）は、日本神話の個々を「説明説話」「動物説話」などに分類している。ただし、

国風土記』の国引き神話などには、伝承もしくは伝説の語が用いられていた。[15]

ドイツ国内の神話学は、マックス・ミューラーの印欧（アーリア）語族論に立つ言語神話説の影響を強く受けていたため、ゲルマン神話に限ることなく、比較神話学の色彩も持っていた。また、グリム兄弟の編んだ *Kinder-und Hausmärchen*（子供と家庭のメールヒェン）に、その題意を汲んで「童話」の語を好んで用いたのも高木敏雄だった。高木は『新イソップ物語 世界動物譚話』（宝文館、一九一二）では「譚話」の語を、『日本伝説集 附・分類目次解説索引』（郷土研究社、一九一三）では「伝説」を用いており、それぞれに意識的に使いわけてはいるのだが、用語法は定まらなかった。

この『日本伝説集』の自序は、次のように謳っている。『東京朝日新聞社』が一昨年（一九一一年）暮から

芳賀矢一が『攷証今昔物語集』（一九一三）で「説話」の語を用いはじめたため、「説話」に二種の学術概念が生じて、今日にいたる。芳賀矢一は『国文学十講』（一八九九）では『今昔物語集』を『十訓集』と並べて「雑史」と呼んでいた。『今昔物語集』の場合、事件の時と場所を特定しようとする書き方に着目したゆえだろう。だが、一八九九年にドイツに留学後、『攷証今昔物語集』（一九一三）をまとめた際、（凡例一）で「我が国の最古最貴の説話集」と称している。『今昔物語集』は紛れもなく、仏教者が説教に伴って語った説話を収録したもので、芳賀矢一の考察は、その性格を強くいう。震旦（中国）篇に、道教系の話や史譚も採られているが、仏の法力の及んだところと考えられていたからである。また『日本霊異記』のあることを知りながら、そのように称したのは、グリムの伝承集にまさるとも劣らない民間説話集として、日本の『今昔物語集』を称揚する意図があったと想われる。なお、「説話」は、古くから、ある物事について一定の内容のある説明や解釈を話すこと全般に用いられていた語。たまに「話説」とも。

15『日本文学史』上（金港堂、一八九〇）で、高津鍬三郎は伝説・伝承を用いている。「伝説」の語は、菅江真澄が神宮寺の由緒記について「姫神山伝説」などと用いており（『月の出羽路 北仙郡六』文政九年）、広く言い伝え一般をいう語として、少なくとも江戸後期の考証随筆に一般化していたのではないだろうか。菅江真澄は、賀茂真淵の「国学」系のひとゆえ、あるいは「伝説」の語は真淵にも見えるかもしれない。

民間伝説および童話募集を行った結果を受けて、いわばアンケート調査にもとづき（童話は除いて）、伝説二五〇余篇を選び、編んだものだが、日本の民間伝説のほとんどすべてに近い「種類と形式」を揃えているると述べている。日本の民間伝承の本格研究書の嚆矢と呼んでいい。

巻末の「内容分類」は、説明神話的伝説、巨人伝説、九十九伝説、樹木伝説、石伝説などモティーフによって分類し、その「解説」中に「神話」「伝説」「童話」は、厳正な区別は困難としつつも、顕著な特色をもって分類すると述べ、国際的な広がりにおいて類型の解説がなされている。なかには「大和三山式妻争伝説」を『万葉集』からとり、「処女塚伝説」を『大和物語』からとって、例は少ないとするなど、日本独自の伝承の特殊例にも配慮がうかがえる。

なお、『日本伝説集』の奥付は、大正二年八月二七日印刷、三〇日刊行。その後のページに、高木敏雄の既刊書五冊をあげ、近刊として「日本童話集」「朝鮮童話集」「世界動物譚」を並べている。また『郷土研究』について、次のように謳っている。「日本民族生活研究の専門学術研究雑誌にして、フォルクロールの凡ての方面に亙りて学術研究論文を掲載する外郷土学土俗学に関する各種の随筆小篇資料報告を発表し別に本誌に問答欄を設けて読者相互の知識交換の媒介を計り典籍欄に於て各方面の研究に関する書目を挙げ日本に於ける唯一のフォルクロール専門の学術雑誌として内外に重きをなす」。高木の筆になるものとみてよい。「学士」なる語は、寡聞にして、ここにはじめて見るが、学術風土というほどの含意だろう。

先にふれた柳田國男の「余が出版事業」によれば、『遠野物語』の出版が機縁となり、知り合った高木敏雄の方から『郷土研究』の刊行を持ちかけてきたという。『日本伝説集』は自費出版と記している。高木敏雄は、それほど打ち込んでいた。

高木敏雄『日本伝説集』は、巌谷小波が博文館で手掛けた「日本昔噺」(一八九四〜九六)「日本お伽噺」(一八九六〜九八)「世界お伽噺」(一八九九〜一九〇八)など膨大なシリーズによって、児童向けの、描写に力を注いだ彼なりの文芸的な粉飾を凝らした読み物が流布している状況、あるいはすでに絵本の形をとって流布してゆく流れに対して、巷間行われている種々の「伝説」を素っ気ない再話形式で収集し、それを研究する学問の出発を遂げたこと、それ自体が一種の対抗ジャンル的な動きだったことは確認しておくべきだろう。だが、彼は一年と数か月で『郷土研究』の編集を離れた。

先に、やや用語にこだわったのは、のち、柳田國男が『日本文芸史考』で、その〈自序〉(一九四六年八月)の冒頭に、「神話」の用法は、高木敏雄らにはじまることを示し、本居宣長は『古事記』など「伝説」と称していたはずといい、また、それとギリシャ神話の神話とは意味が異なろうと述べているからである。柳田は、そこに収録されている「口承文芸大意」(一九三二)あたりから、高木敏雄の用語法にかなりの疑義をはさんでいる。柳田は、口頭伝承の伝播の問題より、日本におけるその展開の固有性を強調し、「神話」は崇高な信仰にかかわるものに限定すべきといい、また「伝承文芸」は子供のためのものとして発展したわけではないことなど、口頭伝承の内部のジャンルないしカテゴリーに、かなりの神経を使うようになっていた。これは、彼がジュネーヴから帰国後、独自に立てた研究の目的と方法に意識的になったためとひとまずはいえるだろう。

「余が出版事業」によれば、『郷土研究』から高木敏雄が去ったのち、柳田國男はスポンサー六人を得て、一九一四年、すなわち大正三年、甲寅の年に「甲寅叢書」(甲寅叢書刊行所刊行、郷土研究社発売)として、金田一京助『北蝦夷古謡遺篇』、白井光太郎『植物妖異考』(上下)、自分の『山島民譚集』を、翌年二月に斎藤励『王朝時代の陰陽道』を刊行した。原稿が集まらなかったので、最後のものは原則を緩めて遺稿を本にしたという。

このラインナップを見ると、柳田は高木が去ったのちも、先の高木敏雄の筆になると思える『郷土研究』の編集方針とたがうことのない「フォルクロールの凡ての方面」路線を守っている。少なくとも、それが書かれたときまでは、二人の意志は「凡ての方面」路線で一致していた。柳田は、高木が去った理由を「気が変わって」としている。高木とのあいだに路線上の対立が生じたわけではなく、高木は専門の仕事に専念しなくてならなくなった、というくらいのことだったのかもしれない。

ただ、『郷土研究』方針を「フォルクロールの凡ての方面」とした際、「学士」なるものまで拡げることを主張したのは柳田だったかもしれない。いくら原稿が集まらなかったとはいえ、原則を曲げてまで『王朝時代の陰陽道』を採っているからだ。王朝時代の陰陽師、阿倍清明の話は、民間に拡がる怨霊信仰や祟りの起源近くに遡るものと位置づけたからだろう。この「学士」への関心は、この時期までの柳田の学問の根本にかかわる。

11『山島民譚集』について

そして『山島民譚集』(「再版序」)(一九四七)は、この自著をさして「珍本」と称し、「この文章が又頗る変つて居る」といい、「斯んな文章は当世には無論通じないのみならず、明治以前にも決して御手本があつたわけでは無い」ともいう。「この文体を採用した者は無いのみか、筆者自らも是を限りにして罷めてしまつた」と述べている。「河童駒引」から一文だけ引く。

【駒引澤】東京ノ附近ニハ駒引澤又ハ馬引澤ト云フ地名多シ。思フニ昔關東ノ平原ニ盛ナリシ馬ノ牧ト關聯シテ、何カ然ルベキ由緒アル土地ナルベク、屢〻馬ニ就キテノ信仰ヲ存ス。

一見、江戸後期の考証随筆ふうだが、『山島民譚集』には、これでもかというくらい考証随筆を引いているのだから、それをお手本にしていないことは本人が一番よく知っている。南方熊楠の文体に近いか、と仄めかしているが、突然、破天荒な調子を混じることをいっているわけではなく、論文調のことだ。「思フニ〜ト関連シテ」などと理屈っぽくいわずとも、「昔、関東ノ原ニ馬ノ牧盛ナリシ故、屢〻馬ノ信仰存ス」とこなせば充分なところだろう。

柳田は、まだ「である」文体が盛んにならないときのことといっている。日露戦争後には、大方の知識人は「だ、である」止めに移行していたが、一九一四年でも政治論文や新聞の一般記事は「なり、たり」だったからである。その時期に柳田の随筆が理屈っぽい不細工な漢文書き下しになったのは、彼が官吏ゆえ、硬い漢文書き下しの公用文ばかり書かされていたからで、それは本人がよく自覚し、無味乾燥な公用文を書くのが嫌で嫌でたまらなかったと打ち明けている。戦後は、公用文も口語常体になったが、なっても無味乾燥なことは変わらないが。

そのとき、江戸時代の考証随筆にあたりにあたって参照できたのは「此本を書いた頃、千代田文庫の番人」だったゆえ、と書いている。江戸幕府の保管していた古文書類を、明治政府が一括して官僚の参考に供するための中央図書館のようにしておいたのを、一九一一年に皇居大手門内に建てた内閣文庫に収めた。柳田國男が法制局に移動していたため、それを自由に閲覧、借り出す特権が与えられていたことをいっている。内閣文庫に引っ越したとき、彼は実際に整理にあたったらしい（「余が出版事業」〈甲寅叢書〉）。

「甲寅叢書」は、書き手が集まらず、六冊で終えた。『郷土研究』も一九一七年三月で休刊（終刊）したが、「余が出版事業」には「評判があまりに高く問題になりそうなので、口実を設けて中止することにした」とある。財政面のことにもふれているが、柳田は一九一四年四月に貴族院書記官長に就任しており、余業が過ぎるという評判が内閣府で立っていたのだろう。

なお、柳田國男が『山島民譚集』をまとめた三年後、たとえば松浦静山『甲子夜話』に多くの材料を得た岡本綺堂の「半七捕物帖」のシリーズが始まる。岡本綺堂の方が柳田國男より三つくらい年長である。「怪談」への関心において、両者は共通しているし、そのあいだに泉鏡花を挟んでもよいが、ジャンルを超え、直接の影響関係を超えて、大正という時代の一面が同時代性として浮かびあがってこよう。

そして、そののち一九二一年から二九年にかけて『爐辺叢書』全三七冊が郷土研究会(東京堂発売)から刊行される(解題三冊含む)。フランス装の文庫版でアンカット、やはり五〇〇部だった。柳田に早川孝太郎ら二人を加え、三人体制の編集陣を組んだ。

早川孝太郎は画家を志して、國男の弟の画家、松岡映丘に師事したところから民俗学に関心が芽生え、『羽後飛島図誌』(炉辺叢書32、一九二五)を刊行、奥三河・横山をフィールドに古老から聞いた狩りの話をまとめた随筆『猪・鹿・狸』(郷土研究社、第二叢書4、一九二六)は、素朴な語り口で伝承を伝えるが、山の風物詩といえるような独特の抒情性を発揮した名著である。奥三河の『花祭』(岡書院、一九三〇)も知られる。むしろ、早川孝太郎の仕事が、そののちの柳田國男に与えた影の大きさを考えてみたい。

12 ジュネーヴへ

ここで、もう一度、先に引いた『時代ト農政』(付記)(一九四八)のことばを呼び戻そう。「第一次世界大戦後、私は誤解して世の中がすっかり変わつてしまひ、それまでの農政の学問は役に立たなくなるものと考へた」。これは岡谷公二氏のいうように不可解なことでも、農業経済学者・東畑精一が語るような自分の献策が世に入れられなかったことへのひねくれた述懐でもない。

まず、一九二〇年頃まで、柳田にとって、一般の社会秩序から疎外された僻地に暮らす人々や、土地に定住しない漂流民や被差別部落民へのアプローチも、農政のためのものだったことを確認しておこう。農商務省の役人になってからの柳田が、好んで椎葉など九州の、また遠野など東北の山地を訪れたのは、天狗伝承への関心の方向と軌を一にしていた。高級官僚への道を歩みながらも、柳田國男の文明秩序の外縁の民の調査・研究は、岡谷公二氏のいうとおり、経世済民の事業の一環として位置づいていた。だが、欧州大戦の終結により、「帝国主義の時代は終わった」と掛け声がかかった。日本は国際連盟の常任委員になり、国際協調路線を明確にした。これからは国際文化の流入がより盛んになる。内地の都市と農村の変貌は激しさを増してゆくだろう。文明の外縁におかれた人びともその流れに飲み込まれてゆくにちがいない、と勘違いしたというのが、その含意の第一であろう。

労働界についていえば、ＩＬＯを傘下に抱えた国際連盟の常任理事国になった日本では、ストライキ闘争が一定程度、許容され、犠牲者を出しながらでも、八時間労働制が認められる方向に動いていた。その波を超えたところで、農村の小作争議が頻発するようになってゆく。先にもふれたが、一九二〇年の国勢調査ののち、農村人口は安定したといわれるが、実際にはいわゆる昭和恐慌など、地方事業家層には地場産業の開発が課題になりつづけた。被差別部落民については、全国水平社も組織されるが（一九二三年）、その運動方針は、闘争的な方向をもっていた。

『時代ト農政』〔付記〕は、あくまでも敗戦後に記されたものである。それがいつのことかはわからないが、自分が漂流民や被差別部落民へのアプローチから離れたことをあたかも彼らへの裏切りや転向のようにいう人がいたことへの挨拶だったと考えてみてもよいだろう。卒がないといえば、卒がない。

郷土会を発足させた新渡戸稲造が国際連盟事務局次長に就任し、その機会に、柳田は委任統治委員になったが、日本はドイツの植民地だった南洋諸島を担当した。連盟の規約は、原住民の保護をうたっているが、広い意味では植民地行政にかかわったのだから、これも左翼からいえば裏切りである。

つまり岡谷氏のいうアンビヴァレント説は、この時期に関しても、少し割り引いて考えてもよいのではないか。妄想癖が昂じがちでも、それを知っているがゆえに周囲への気配りを怠らず、卒なくふるまう人はいる。柳田の場合、恋愛の挫折とともに抱えた罪障感は、絶えず自分を鞭打つ方向にはたらき、勤めを実直に果たす方向を亢進させ、そこに危機が訪れる。が、危機といっても、それは、目配りがよすぎるために、ここは自分のいる場所ではない、という直観となって跳ね返り、常人が驚くような転職に走ったりする。いまなすべきと思いついたことを即座に実行し、周囲を驚かせたりもする。一種の万能感のようなものに駆り立てられるところもあっただろう。

繰り返すが、先の『時代ト農政』〈付記〉は、欧州大戦後、すぐに学問への志が芽生えたとも読めるが、それなら、連盟の委員になどなるまい。国際協調の時代に国際的視野を広げておこうというくらいのつもりで、連盟の委員を務めてみた。エスペラントに出あい、その国際的平等性に賛同し、勉強した。また聴講などを通して、ヨーロッパ流の学問の現場にふれ、それが概念を明確にし、体系的に組み立てていることを強く感じた。それらを勉強できているうちはよかった。が、所詮は国際的な駆け引きの場である。働き甲斐のある仕事とは思えなくなってきた。そのうち、本格的な学問への志が萌していた。関東大震災の報を聞いて、いてもたってもいられなくなって帰国した。その後、新渡戸との交際が途絶えたところを見ると、たぶん、もうジュネーヴには戻らないと告げ、それは困るといわれたのを振り切って帰国したのだろう。

ジュネーヴに滞在中に柳田が強く感じたことが、もう一つあると思う。都市も農村も、各地それぞれに人々はローカル・カラーを保って暮らしている。とくに、地方小都市の建物など装飾デザインやカラーからして、集団移住の歴史が刻まれている。逆に、日本は明治以来の産業化の波、文化的発展のために、平準化が激しい。従来も感じていたことがいよいよ際立って感じられてきたのではないか。実際のところ、柳田は、文明秩序の内部の変貌が気にかかっていた。大量生産される商品が地方の生活文化を平準化し、また、平地でも孤立し、にもかかわらず、ローカル・カラーを失っているところが出てきていることにも気がついていた。

ジュネーヴから帰って、半年のちの一九二四年四月に柳田國男は宮崎で講演し、それを「文化史上の日向」にまとめている。日向の歴史をたどりながら、柳田はいう。宮崎は広大な平野を抱えているが、他の地域から孤絶している。「現にこの宮崎市の如きも、殆ど各府県人の共進場の姿があり、五十年内に立派なる都会となったが、今尚宮崎の方言というものも無ければ、宮崎の風俗というものも無い。此点だけは今日の東京とも似て居れば、札幌、旭川、野付牛などゝも似て居る。即ちこの付近一帯の宮崎県に在っては、郷土の経済上の相続者は、血の相続者ではない」。

そう、経済とともに文化は、それぞれの民俗は血の相続によって保持される。だが、明治期の立身出世の旗印は、農村から長男を競って東京に出てこさせ、そこに定住の地を求めさせた。日本ほど家族の解体の激しいところはない。家業を継ぐことは、立身出世を諦めて不満を抱えたままの次男以下に任せられた。都市に蝟集する人々は、郷里の近い者が郷友会を作ってはいるが、そこにはお国自慢はあっても、郷土の経済と文化をいかに保持してゆくか、その考えは微塵もない。

欧州大戦後、国際的に文化相対主義の波が拡がった。それは、民族的特徴の良さを相互にみとめあう風潮だったが、柳田の場合は、それを超えて郷里それぞれの特徴を認め合う方向に向いていた。それが失われてゆく一方の日本をどう立て直すか。郷土の、家族の経済と血の相続の歴史の回復へと思いは向かったのである。

13 帰国後の奮闘

帰国したのちの柳田國男は、その名称はともかく、民俗学を日本の独自の学問として確立することに邁進していった。自宅で談話会を開催し、全国を講演してまわり、方言周圏説として知られる「蝸牛考」をはじめ、のちのちにまで影響を残す論考を次つぎに発表し、旺盛な活動がはじまった。[16] だが、思考を体系立てることが苦手だった。西欧の学問の流儀にならって、不得手な帰納法に徹した「科学」に邁進する姿勢も、学問の大枠の基礎をつくる概論の執筆にも頭を悩ませなくてはならなかった。そ

16「蝸牛考」については、戦後、本人が誤っていると漏らしたことが伝えられている。中央の語彙が地方へ伝播していき、いわば末端に古い語彙が残っていることをいうもので、中央発信の語彙についてはよいが、それ以外の語彙にはあてはまらない、という意味ではないだろうか。類似の「昔話」の伝播の様相も、中央↓周辺と規則的でないことから、訂正を要すると考えたのであろう。

ただ中央発信の語彙について、もう一つ考えなくてはならないことがある。とくに二〇世紀には、交通通信の発達に伴い、中央の新しい流行語がすぐに地方に伝播することである。これは国境を超えて起こることもある。たとえば「満洲国」で、最も有力な詩人・作家兼出版社を経営する文芸家・古丁が一九三〇年代から「純文学」対「大衆文学」というスキームを用いている。これが中国語圏における今日的用法の嚆矢であろう。

日本では一九二〇年代に、既成文壇の小説に対して勤労大衆を読者対象とする「大衆文学」の語が成立し、二〇年代半ばにマスメディアによって広く浸透した。その「大衆文学」は、時代小説を主とし、探偵小説を加えたものだったが、一九三〇年前半に、当代風俗小説も加え、娯楽を主な目的とする小説という意味に転換すると、その対義語に「芸術性の高いものを指して「純文学」という語が一部（主に新潮社系の作家たち）に用いられ、谷崎潤一郎らは「所謂」つきで用いもした。が、その用法には反対意見も強く、論議が継続していた。もともと「純文学」は、明治後期に「美文学」と同義で、大学の文学部の「文学」に対して、詩、戯曲、小説をいう狭義の「文学」の意味で用いられていたからである。

なお、「大衆」の語は、『礼記』〔月令、孟春〕に、家畜や動植物を保護し、「毋聚大眾，毋置城郭。掩骼埋胔」（大衆を動員するな、城郭を築くな、遺骸を野ざらしにするな）と出てくる。それゆえ、いつでも登場してもおかしくはないが、まず見ない。日本では『平家物語』などに明らかなように、専ら「一山の大衆」（大勢の僧侶）に限って用いられ、明治期には中村正直訳『西国立志篇』（一八七〇）〔序文〕、夏目漱石『文学論』（一九〇七）〔序〕などにイギリスのキリスト教徒の宗門の徒を指す用例も見える（鈴木貞美「三遊亭円朝の位置―明治期「言文一致」再考Ⅱ」〔『季刊 iichiko』No.152〕を参照）。

西欧語の“mass”は、階級“class”を超えた概念で、その先駆的な現象は、一九世紀半ばの大都市に、一時的に出身階級を超えた集団“crowd”（群衆）が出現しはじめことに認められる。先進国では、消費文化の発展につれ、大量生産（mass production）された廉価な商品を消費する、全国的な一種の社会構成体として意識されてゆき、とくに一九二〇年代に政治を左右する新しい勢力として広く認知されるようになった。ただし、社会主義運動では、二〇世紀に入ると、ロシアでは労働者・農民を超えた底辺の層を総括する概念として、やがてドイツでは、少数派のサボタージュなども含めた労働者の大規模ストライキを「大衆ストライキ」のように呼ぶなど、用法は多様であった。日本では一九二〇年頃、その“mass”の訳語に「大衆」を用いたのは社会主義者の高畠素之だが、時代小説に活躍した白井喬二がそれを文芸に転じて、一九二〇年代に「大衆文芸（学）」の語が拡がった。それに対して、僧侶が抗議しており、ここに「大衆」概念の転換点が認められよう。のち、第二次世界大戦後の日本では、長く文芸雑誌に「純文学」「中間小説」「大衆文学」の三層が明確だったが、一九六一年からの純文学変質論争は、これを無視して、「純文学」対「大衆文学」というスキームを文壇および文学研究者のあいだに定着させた。

して、そこには「公」の立場が表に出ていることも岡谷公二氏が力説しているとおりである。

ただし、いまの読者には、この「公」の含意を、より明確にしておいた方がよいだろう。学術の世界で公認されるという意味にとどまらず、文部省に認めさせなくては、という意味である。中央官僚だった人がその権威を知らないわけがない。ただし、それゆえ、制約も強い。言論界は自由な気風に溢れていた時期で、社会主義も伸長していた。非合法の左翼勢力も、それゆえ文化運動に力を入れていたから、検閲も厳しかった。皇室の尊厳を冒涜し、政体を変改しその他公安風俗を害するものは発売頒布を禁止された。

柳田が「常民」の研究を中心に据えたのは、そうしなければ、中央官庁は国民文化研究の学会として認めないからである。天皇制の問題に気をつかったのもたしかであり、二〇世紀への転換期に行われた神社の統廃合に表立って反対する意見などはいわない。体制の思想の枠内に収めているわけで、転向のように見られてもしかたないところもある。

もう一点付け加えておかなくてはならないのは、柳田が連盟で学んだエスペラントを国内に広めたいと考えたことである。国際的な学風を国内に持ち込みたいという意志の現れだが、それは国際協調路線をとる当時の政府（文部省）の意向とも合致していた。

一九二五年には民族学（今日の文化人類学）を志す新鋭の岡正雄（文部省学術研究会議嘱託、二七歳）と共同編集で雑誌『民族』を創刊。これは岡正雄の兄が経営する岡書店の刊行で、条件を整えて岡正雄の方から持ち掛けたものと想われる。岡正雄がドイツに留学に発つまで続いた（一九二九年）。一九三〇年には柳田の還暦祝いの会から「民俗伝承の会」が誕生(のち、一九四九年に民俗学会)、機関誌『民俗伝承』が創刊された(一九三五〜一九八三年・通算三二四号)。

14『口承文芸』

「口承文芸大意」を柳田國男が講演したのは『真澄遊覧記信濃の部』(一九二九)の刊行記念会でのことである。これについては、前にふれた(本書26頁)。

柳田國男は「口承文芸大意」以前に、すでに「木思石語」(一九二八)で、民間の口頭伝承(口碑)を「国民の歴史」の本体と見定め、その内を「歌謡」と「説話」に分け、中間に「歌物語」を置き、「説話」のなかを、真実として伝えられる「伝説」と面白さを狙う「昔話」とに分け、「笑話」を「昔話」の頽落したものと見て、「昔話」を中心に置く「口承文芸」研究の方向を決めていた。それゆえ柳田は「義経伝説」「美女伝説」などの用語法は嫌っていた(「昔話と伝説と神話」32)。「歌物語」については、歌謡や和歌を伴う説話というくらいの意味で、信仰からの距離をいっているが、記紀中に見える「童謡(わざうた)」、また『万葉集』の高橋虫麻呂らの伝承長歌、『大和物語』や『伊勢物語』のような歌物語群、『竹取物語』のような歌物語の展開までを想定しているのか、どうかも不分明である。

「歌物語」については、ジャンルにかかわる問題だか、いわゆる韻文と散文の関係の仕方で見極めはつくだろう。「伝説」に関しては、用語法の水準の問題で、実はジャンルのわけかたの問題ではない。ただし、ジャンル概念には、近代における芸術の規定による古典ジャンルの発明の問題が絡む。「説話」の概念も神話中の一話、仏教の講話、口頭伝承一般が混在したまま用いられている。これらは整理してゆけばよいが、表現者における技法の問題になるとかなり面倒である。折口信夫が『源氏物語』は韻文というとき、それは和歌の掛詞が地の文で用いられていることをいっているが、掛詞を、洒落、地口の類に拡張するなら、日常会話でも用いられる。したがって、いつでもどこでも、いわゆる散文の地の文にもちこまれる。西鶴でも二葉亭四迷でも、技法として意識的に行っている。これらは、いまなお、われわれの課題として引き受けていかなくてはならない日本のレトリックの問題である。

それとは別に、柳田國男は「昔話」の類型分析を行ったが、『桃太郎の誕生』(一九三三)などでは、伝播の際の要素の交換によるストーリーの変化にも充分気を配っており、分類は、それを測るための便宜になされていったようにわたしには想える。その意味では、比較神話学のモティーフによる分類も、もとは伝播を考察するための便宜としての手段だった。むろん、同一モティーフが無関係に発生しており、それが人類の普遍性に到達すると考えることもできようが、ヴァリエイションの比較はできる。

ここで言いたいのは、分類自体が目的化され、話型に落とし込むことで、逆に研究が阻害されることがないのか、その点が門外漢には気になるのだ。というのは、文芸一般に話型で考えることによって開かれることは多いが、それが表現の異質性を簡単に跨ぎこしてしまう手段にもなっているからである。

たとえば、前にもふれたが、『古事記』『日本書紀』ともに、話型で考えれば、神々の誕生を述べる際に、死体化成神話が重ねられていることは同じである。が、『記』では新たに生じることを意味する

「成」が多く、『紀』では単に変化をいう「化」が多く用いられている。これは記された時期および記載者のちがいを示すものと考えられ、『記』『紀』それぞれの成立にもかかわろう。日本におけるナラティヴには漢字表記の問題は避けて通れないのである。

15『明治大正史 世相篇』

『明治大正史 世相篇』(朝日新聞社、一九三一)は、柳田國男が当年とって五五歳のときの企画である。いよいよライフ・ワークに乗り出す姿勢が明確である。当代においては、いわゆる晩成型に属するだろうが、学問の性格にもよる。

その最終章(第十五章 生活改善の目標)では、希望が見える面を述べているが、その第一として、国家が学問を奨励してきたことが根づきつつあることを述べながら、はっきり翻訳学問を退けている。日本固有の文化に適した独自の学問を進めなければならないという確固たる姿勢が打ち出されている。

人類学が文化人類学に展開してゆく過程は、早くも明治中期に坪井正五郎が受け止めていた。それは基本的に「活きている化石」の探索によって、「化石」時代の生活を掘り起こす仕事だが、その弟子、鳥居龍蔵は形質人類学と文化人類学を総合し、広く東アジアとの関係を探求していった。坪井正五郎はまた、道行く人々の髪形、服装などを定点観測する「風俗測定」を、一八八四年に、民間にも開いてはじめた東京人類学会に持ち込んでいた。柳田國男はその周辺にも名前を遺しているから、坪井正五郎の学風に確実にふれていただろう。

折口信夫は『古代研究（民俗学篇2）』（一九二九）の掉尾（ちょうび）に付した〔追ひ書き〕で「資料と実感と推論とが、交錯して生まれて来る、論理を辿る事」「地方生活を実感的にとりこもうと努め」るなら、民間伝承の報告からは零れてしまうような「実感」の記憶に裏打ちされた仮説を提出することができ、それによってジェームズ・フレイザーの学説を転覆することも可能になると述べていた。それでも、柳田には文化人類学の日本版への道が拓けるのがせいぜいのところと感じていたのだろうか。そのあたり、気になるところだ。

それ以前、関東大震災後の都市風俗の様変わりに関心をもった柳田の弟子の一人、今和次郎は、一九二五年に考古学に対応する「考現学」（モデルノロヂオ）を名乗った。それが何時のことか精確なことは未詳だが、今和次郎は、それによって柳田に破門されたといっている。ジュネーヴから帰って後の柳田は、かつての「郷土研究」に学問の体をなさしめることに努力を傾けていたので、それは別の道と遠ざけたのだろう。

だが、『明治大正史 世相篇』も広い意味では「考現学」にちがいない。柳田がその客員を勤めていた東京朝日新聞社の企画の一端を掴んで、「世相篇」を名乗りながら、「衣」「食」「住」「風光」「故郷」「交通」「酒」や「恋愛」など多岐にわたる民衆の風俗史、すなわち民俗を見渡しながら、明治大正期におけるその変化を摘出する企てである。

日本列島の風俗は、土地の面積は狭くとも、地方ごとの多様性と時代による推移の二つの意味で変化に富んでいる。『明治大正史 世相篇』は、その推移の方の「変化」に見渡しをつけることが肝腎と心得た仕事である。ついでにいうと、「口碑」は、石に刻まれた碑と同様に、長く伝えられてきた伝説をいうが、その時代ごとの「稗史」（帝「紀」と有力者の「伝」、その史料をいう「志」からも零れ落ちる、採るにたらない史）は、古代中国で統治に役立てるため、民間に口伝えされる噂話を稗官が拾い集めてまわった噂話の類をいう。日本の場合、中世には『古今著聞集』や『今昔物語』、近世にはさまざまな「随筆」類に残されている。そういう意味では、ヨーロッパに比べたら、推移の意味での変化は見極めやすいのではないだろうか。

柳田國男は目配りがよくはたらく人だ。だから、あれにもこれにもふれたい、となりがちなところを犯罪にいたるまで、うまくおさめていると感心させられる。『明治大正史 世相篇』が名著と言われる所以だが、それによって、民族史の領域設定と方法の妥当性の、いわば瀬踏みにもなれば、それぞれの見渡しの端緒をつかむこともできる。『明治大正史 世相篇』の〈自序〉は、その野望ともいうべき志を隠していない。それゆえ、至らないことを述べても、いたずらに謙虚なわけではない。実際、途中で切り上げてしまっていると感じされるところも、まま、ある。

『明治大正史 世相篇』は、第一章〈眼に映ずる世相〉と題して「衣」を焦点としているが、その直前に雑誌『女性』に寄せた「木綿以前の事」（一九二四）を組み込んでいる。また第十五章〈生活改善の目標〉では、女性が覚醒してきたことに希望を見ている。そして柳田は、女性史に特化した講演や考察を重ねていった。それらが女性たちにも女性史への目を開かせたことは、いまさらいうまでもないだろう。

だが、柳田自身は和泉式部伝承をめぐる『女性と民間伝承』（一九三二）を一つの落着点とした。柳田國男は、このようにしてテーマごとに拡充を図ってゆく姿勢が明らかで、その刺戟は各方面に文化史的考察を広めていったといえよう。その『女性と民間伝承』では、彼がよく文献を渉猟し、そこに残る伝承のほとんどがのちの作為によるものであること、文献であるゆえにその作為のあとも拙さもよくわかるのだが、それを生み出す庶民の心性やゴゼや歌比丘尼らの活躍などが綿々と綴られ、浄瑠璃の発生にも及ぶ。その話の運び方、話題の展開が実にたくみである。講演で鍛えた話術だろう。言い換えると、それは体系的な思考ではない。

そして、それらを明らかにする文化史的な方向も彼の選ぶところではなかった。その理由の一つは、和泉式部伝承は民間の仏教信仰と深くかかわり、仏教界の動きと密接に絡んでおり、氏神をめぐるものではなかったからだろう。柳田は、語り手による内容の変容の少ないと考えられる家や村の没落や繁栄にかかわる口頭伝承に関心を集めていったのだった。それこそが彼にとっては、ヨーロッパの伝承研究とその移入学問では、なされていないこと、またなしえないことだったからだ。いうなれば、学問ナショナリズムである。

『明治大正史 世相篇』は、第九章〈家永続の願い〉で、明治大正期における都市と農村の関係の変化が「家」の解体を促してきたことを、各家の祖霊の祀り方の変貌と絡めて述べている。このテーマ設定こそ、他の誰もしなかったことであろう。祖霊を迎える行事は、かつて仏教の浸透によって盆暮に定められ、江戸時代の奉公人は盆暮に郷里に帰るしきたりにしたがったが、明治期には各層に拡大された。また墓制とその形態の変容にもふれながら、〈明治の神道〉の節では、靖国神社の創建によって、戦歿者の魂を祀ることが国家の手に委ねられたことを、家とその祖霊信仰の関係が揺らいできた決定的な契機として突き出している。たとえ神社合祀にはふれることは避けても、家の祖霊の祀りに近代国家が介入したことに敏感に応じていることにまちがいはない。

この『明治大正史 世相篇』が刊行された年、たとえば『東京は熱病にかゝつてゐる 長編詩』を刊行してデビューした高群逸枝は、やがて『母系制の研究―大日本女性史1』（一九三八）に向かった。だが、高群の場合には『青鞜』の系譜もはたらいており、その行程を、柳田國男の『明治大正史 世相篇』や『女性と民間伝承』の影響に帰することはできない。また彼女の母性原理的思考は、やがてすでに指摘されているように「たおやめ」（『日本婦人』一九四四年一一月号）において「惟神の道」と一体化し、「世界救済の原理」と見なされることになる。[17] それは『神社本義』（一九四四年六月）がうたう「国家の生命」の観念に誘引されたところもあろうと想われるが、そうした志向も、柳田民俗学とは無縁だったことは、のち『日本の祭り』をめぐって明らかにできるだろう。

16 折口信夫と柳田國男

岡正雄は、『民族』に折口信夫が投稿してきた「国文学の発生（第三稿）―まれびとの意義」を柳田が「折口の学問は科学的でない」という理由で掲載拒否したと証言を残している（岡正雄インタヴュー「柳田國男との出会い」『柳田國男研究』創刊号、一九七二）。この時期の柳田が、「直観」を嫌ったのは確かだろう。

17 加納実紀代「『母性』の誕生と天皇制」（井上輝子・上野千鶴子・江原由美子編『日本のフェミニズム5 母性』岩波書店、一九九五）を参照。

折口は、柳田が一九一三年、ドイツ民話研究者の高木敏雄とはじめた（二年目からは柳田の単独編集）雑誌『郷土研究』に、大阪の北、南、天満の方言や風俗のリポート「三郷巷談」を寄稿して以来、柳田に師事していた。「三郷巷談」にも被差別部落のことが見えている。折口は、歌人・釈迢空としても活躍し、歌論を含む論考もジャーナリズムで人気があった。このころ、国学院大学の教授になり（一九二三年）、柳田も帰国後、講義をはじめた慶応大学で、民俗学を講義していた（一九二三年）。ずっと師弟の関係が続いていたが、方法がかなりちがう。

柳田国男の民俗学は、滅びゆく民間習俗の記録に徹し、多くの事例を併せ考え、文献もよく参照して歴史過程を想定する。それに対し、折口信夫は、活きた民俗、人びとの生活全体を感受しようとする。村人の側に身を寄せて経験をともにする態度が顕著で、それを論考にまとめるときに本質直観を重んじる。意識の現象学の流行中に学問をはじめた人の特徴で、対象と一体となって経験するので、対象を外側から分析できないため、経験意識の本質を直観するという。

「国文学の発生（第三稿）」は、折口信夫の代表作の一つで、のち『古代研究（国文学篇）』（一九二九）の巻頭を飾ることになった。『折口信夫全集』第一巻（中央公論社、一九五四）収載時にタイトル下に「昭和二年一〇月稿。昭和四年一月「民族」第四巻第二號」と記されている。[18] おそらく、『民族』に投稿を受け取ったとき、岡正雄には折口について柳田が述べたことの記憶が強く刻まれていたため、却下したと勘違

18『古代研究（国文学篇）』（大岡山書店、一九二九）に記載はなく、全集収録時から踏襲されてきたものと思われる。三回の旧版と新版（一九九五）がある。

いしていたのだろう。

折口の「まれびと」は、他所から訪れる珍しい客を、歓待する風習に着目し、信仰においては、他所からの神の来訪をいう。潔斎して、夜に訪れる神を迎え、供食して、送りかえす祀りの形態は、出雲大社をはじめ各地に見られる。沖縄の場合は、海の彼方のニライカナイから訪れるとされ、奥三河地方の花祭など中部山岳地帯では、来訪する方角をいう場合もあるらしいが、湯立を中心とした神楽となる。折口「国文学の発生（第三稿）」は、訪問神の出自が海から山に移り、天からとなったと推移の過程を推測している。

ずっとのちのことだが、一九四二年五月、奈良で開かれた日本諸学振興会全国文学特別部会で、折口信夫は「古代日本文学に於ける南方要素」と題して講演した。日本の民俗のなかに南方から渡来した人びとが持ち来たった要素を考察した同題論文（一九四三）がある。その講演が済んで、東京帝国大学の国文学者、山田孝雄（よしお）が発言し、民俗学を「土俗学」と称したのに対し、折口は猛烈な抗議をし、翌日、総括集会で激論になったという。

これは、すでに対米英戦争が進展し、勝ち戦の報道に沸き立っていた頃のことだが、一九四一年七月に第二次近衛文麿内閣掲げた「大東亜共栄圏」構想にかかわる。山田孝雄の発言はアジア南方の民を土民と呼ぶに等しいからである。それを敷衍すれば、沖縄の信仰も土民の信仰であり、それが日本の信仰のもとにあるという説など、神国日本にはあってはならないことになる。当然、その山田孝雄－対－折口信夫の対立を柳田國男は耳にしていたことだろう。

折口信夫に、一九四三年四月二三日、靖国神社で執り行われた「招魂の儀」に初めて参列したことを記した「招魂の御儀を拝して」というエッセイがある。儀式の始まる前、蓆(むしろ)の上に座っている「遺族の方々」の姿に、民俗採訪の旅で見かける人びとの姿を重ね、戦死者の霊が神輿(しんよ)とともに本殿に向かうのを、老婆が「ほうっとしたような気持ちで見て居られる後姿」に感じ入る。そして「三年近い年月を経た御魂が、今や完全に神様におなりになった」と書いている。かつては何代も経て神になった死者の魂が、いまは三年で神になるのだ、という実感である。戦死者の魂は、家から切り離されただけでなく、その行方の期間さえ変容を受けたのだ。ここにあるのは「国家神道の現在」の認識以外の何ものでもない。[19]

少し先を急ぎすぎたかもしれない。柳田國男『明治大正史 世相篇』は「満洲事変」の発端(一九三一年九月一八日)以前、言い換えると内地が次第にキナ臭くなってゆく以前の刊行である。家の祖霊の祀りの変化を辿るテーマは、戦中期の『日本の祭』(一九四二)を経て、第二次世界大戦後には『先祖の話』(一九四六)などへ展開してゆく。軍国主義たけなわの時期に刊行された『日本の祭』に、ふれずにすますことはできないだろう。

17 『日本の祭』を読み直す

柳田國男『日本の祭』(一九四二)は、一九四一年秋の東京大学での講演をまとめたものだが、最初の〈学生生活と祭〉(一－二)で、さまざまな根拠のない伝統論や「いわゆる神ながらの道は民俗学の方法に

---

19 鈴木貞美『死者の書の謎—折口信夫とその時代』(作品社、二〇一一) p.58-59 を参照されたい。

よって、だんだんと機能し得る時代が来るかもしれない」といい、それは祭を中心にして見ることで可能になると述べて、本題に入ってゆく。「いわゆる神ながらの道」とは、大正一五年一月、内務省神社局が刊行した筧克彦著『神ながらの道』が万世一系の皇統が神の子孫であることを謳いあげた国家神道の神髄のこと。それは、しかし、いまだ「機能しえていない」国家の信仰であり、祭を中心にした民俗学なら、それに内実を与えることができるかもしれない、といっているのに等しい。かなり微妙な、だが、実に大胆な提言だった。

その内実については、〔神幸と神態八〕で、柳田國男は「個々の氏族が各々単一祖神のみを祀っていた時代を想定している」と語り、氏神（祖霊）すなわち村の神社と言い換えている。この着想の根には、同一集団の守り神的なトーテムがあろう。祖霊神は毎年、定まった一日に高いところから串や柱などに降りると考えられていた（〔参詣と参拝七〕）。が、神社に旅の者が参拝するケースを加え、時代が下るにつれて、神社に多くの神を勧請し、「一時に他の多くの神々を巡拝し、また迎えて我が土地に祀る」習慣に言及している。つまり、多くの事例から、その祖型と歴史的変遷による多様な分岐を推察している。

文献の参照では、たとえば平田篤胤が朝日を拝む習慣を邪道のようにけなしていることに着目し、それはかなり古くからあったが、「国学者」には問題視されていたものの、今日ではすっかり定着していると参拝の一形態としている。朝日を拝む習慣が民間に拡がったのは、今日、江戸前期から天道思想によるものと推測される。とくに江戸中期に、正体の定かでない多くの太陽神の図像が現れる。三教一致論により、古代中国の天道とアマテラス、真言の大日如来への信仰を習合させたものと知れる。

山地で雑穀を主食としていた地域でも祭りには餅や米が不可欠といっているので、柳田は稲作文化主義だといわれもするが、祭祀の際のことをいっているので、生活のことではない。粟稗などのいわゆる雑穀を主食としていても、祭りのときには米や餅を祖先の霊に捧げるのである。そして、信仰に関しては、どこまでいっても家族や眷属が中心テーマで、中世におけるその分散移動などには言及するが、先の「個々の氏族が各々単一祖神のみを祀っていた時代を想定している」という仮説については、それ以上のことはいわない。

それ以上というのは、個々の氏族のおおもとが一つという仮説のこと。『日本の祭』には、いわゆる家族国家論はかたちを現さないのだ。が、この論調が家族国家論や血統国家論と同一視され、彼の民俗学が天皇制の基盤に迫る思想のように短絡して誤解された可能性は大きい。しかし、柳田國男の想う日本固有の「神国」のイメージは、諸氏族の祖先信仰が輻輳しあった状態だったのである。

そして、〈参詣と参拝四〉では、内外二とおりの神を仮説として立てている。沖縄の祭りにもふれており、『日本の祭』では、折口のマレビトも変化形の一つとして抱えたと見てよいだろう。それが戦後の「海上の道」(一九五二)につながってゆくことは見えやすいだろう。

なお、一九四二年一一月の日付をもつ〈自序〉で「ことに終わりの二章は故障があって講演を中止し、手控えを浄写したままで」とことわっている。翌年、柳田國男『神道と民俗学』(一九四三)〈自序〉には「私は常に自分の故郷の氏神鈴ヶ森の明神と、山下に年を送った敬虔なる貧しい神道学者、即ち亡き父松岡約斉翁とを念頭に置きつつ、注意深き筆を執ったつもりである」とある。そのように「注意深き筆」をとる人でも、講演を中止しなくてはならない事情があったかと想わせる。が、中止したのは体調のことなどではなく、自身の能力不足のようにいっている。『柳田國男全集』別巻1〔筑摩書房、二〇一九〕の年譜によれば、一九四一年、秋、東京帝国大学全学教養部の教養特殊講座で行われた講演は、初回はともかく、回を重ねるにつれて、あまりに学生の聴講者が集まらなくなったということらしい。秋には対米交渉が行き詰まりを見せ、世情は落ち着かなくなっていたこともあろうが、祖先の祀りごとについて各地の事情に分け入るに従い、当代の学生には関心か向かなくなって当然だろう。

その講演されなかった後の二章とは〔供物と神主〕及び〔参詣と参拝〕である。終わりから二つ目の〔供物と神主〕は「相饗（あいあえ）」、すなわち神との供食の儀式を中心とした話で、その最後の節〔一一〕では各派神道の神職の変遷にふれている。国学院ならともかく、話の中身がいかにも専門にすぎる。

そして、最後の章〔参詣と参拝〕では、信仰統一の政策とそれに従うしくみを説く〔一〇〕とそれに続く一一節が最も微妙なところにさしかかる。「世界に比類なき神国のマツリゴトの、最も重要なる原則は『承認』であったと思う」。それゆえ、「国家の力をもって支持していたのは、単にその神々の尊さを公に認められる点だけ」であり、その他はすべて国民みずからの心で存続していたという。国民の信仰にかかわる国家の力を軽く見る、ないしは国家が大きくかかわることを拒否する姿勢が出ている。

そして、祭を保つ「唯一条件の共同の謹慎」が守りえなくなってきたため、「神の黙約に基つく年来の恩沢」の持続を疑う人々が多くなった、それこそが「国の固有信仰の伝統」の「大いなる危機」といい、逆に「ただ歴史ある敬神の国是を強調することによって、永く神国の伝統を支持し得べしと、思っているらしい人がいるのである。虚礼に陥ることなくば幸いである」とおさめている。このようにして柳田國男は「総国敬神の念」の危機の原因は、何によるか、を指し示していたのだった。念頭に置いているのは、蓑田胸喜ら『原理日本』の右翼過激派などよりも、一九三五年に国会に持ち込まれ、承認された「国体明徴」のことといってよいのではないか。

ここにいう「国の固有信仰の伝統」や「歴史ある敬神の国是」とは、先にも述べたように家族国家論を含んでいないだけでなく、日本の神、信仰のおおもとが一つという考えも排除している。つまり皇統を各氏族の宗主として敬うことなどを指していないのである。講演はなされなかったが、実は「障り」が生じても当然の内容だった。

柳田は最後、人々の敬神の心、信仰の衰退に、それがいけないとは決められないかもしれないと言いながら、ほとんど絶望しているかのような調子に向かう。が、無関心は無知からくる、知ることによって回復できると述べて全体を閉じている。

人は柳田國男の「近代批判」をいうが、その批判の対象たる「近代」とは何だったのか。それは日本近代の国体論、国家神道であり、また口頭伝承の近代文献学的な研究方法でもあったということをあらためて確認しておかなくてはならないだろう。

18 そして戦後

柳田國男は一九四六年に「新国学」を提唱した。柳田の学問は「日本の『神』を目的としている」、それが際立ってきたという意味のことを述べたのは、戦後の折口信夫だった（講演「先生の学問」一九四七）。『祖先の話』（一九四六）から『祭日考』『山宮考』などへ続いてゆく仕事はたしかに『日本の祭』の延長にあり、展開である。

折口の場合は、本質として変わらぬ「神道」信仰を想定し、それを古代の各時期に儒学や仏教、陰陽道の「理」によって、「合理」化してきた過程を辿ろうとする。「国文学の発生（第三稿）」（一三　まつり）では、「祖先の有力な一部分」が南方から稲作と共に「農業暦」を持ち来たったことを推測しており、当然、民間道教的な祭りが運ばれたと考えていよう。そののちに、「漢人の季節観」が持ち込まれたという。『万葉集』の季節観のほか、奈良時代にヤマト朝廷が入れた節季が指標となろうが、祖先の墓参りをする清明節は入れられなかった。朝廷は祖先崇拝の儀を仏教に託していたからである。そして折口は「古代生活の研究―常世の国」（一九二五）（一）では、これまでの神道家の神道論が「古義神道、或いは『神道以前』の考察を疎かにしていた」といい、それが変容したものを「陰陽神道」「儒教的神道」「衛生神道」「常識神道」と呼んでいる。それぞれ陰陽道、儒学、養生思想による変容をいい、「常識神道」は、当代に普及している神社神道をいうのだろう。一種のイデオロギー分析で、わたしには有効な方法だと思えるが、折口がその内実に踏み込んでいったわけではない。なぜなら、折口も人々の神社崇拝の心を対象にしていたからだ。

敗戦後、折口信夫は「神道宗教化の意義」（一九四六年八月）で「日本の神道を世界に通用する宗教に高め、普遍化しなければならない」と説く。そこでは「明治以来、神道家の中には、神道を法理論・政治学と、合体させようと考えて来た人がある。それを都合よいように利用した人が亦多い」ことを強調し、政治に利用されやすい神道の虚弱性を指摘し、神道家は「つよい、普遍的な学説をきづいて行かねばならぬ」と決意を述べる。「神道を法理論・政治学と、合体させようと考えて来た人」とは、たとえば誰のことかは、もういわなくてよいだろう。

そして、折口信夫は「神道の友人よ」（一九四七年一月）では、神道は「極めて茫漠たる未成立の宗教」といい、そして、教祖が現れ、経典がつくられるのを「待つ」姿勢が明示される。神道研究家は、宗教家ではないからだ。折口は、つまるところ、神道は「宗教」ではないことを言い立てているようでもある。そう、教祖も経典もない神道は宗教学でいう宗教ではなかった。そして、明治政府＝文部省は、その観念を盾にとって、皇室の祖先崇拝は宗教ではないゆえ、修身の教科で教えても、信教の自由と抵触しないと切り抜けたのだった。わたしには、この提言に、どこか人を食ったような折口特有の逆説が感じられてならないのだが、それは考えすぎにしても、神の性格は、人間が規定する、と考えて出発した折口信夫は、神道が「宗教ならざる宗教」である性格を突き出して見せ、産土への想いも人間の営みとして対象化しようとしつづけていたのである。[20]

敗戦後の柳田國男は、己が産土への繋がりを追う姿勢を強め、「国学」の革新を説きもしたが、民族の産土への想いは『海上の道』にもはばたいた。神の性格は、人間が規定する、と考えて出発した折口信夫は、「宗教ならざる宗教」である神道の性格を突き出して見せ、産土への想いも人間の営みとして対象

20 鈴木貞美『死者の書の謎―折口信夫とその時代』（前掲書）第5章を参照。

化しようとする。この子弟の姿勢は、どこまでも近寄り、交錯しながら、ときに離反する。ふと、わたしは思う、日本の民俗学は、この二つの態度のあいだをいつまでも揺れつづけているのではないか、と。

柳田國男と折口信夫の民俗学の根本的な疎隔を論じている筆頭は、諏訪春雄『折口信夫を読み直す』（講談社 現代新書、一九九四）であろう。そこでは柳田が「山宮考」（一九四七年六月）から「私は折口氏などとちがつて、盆に来る精霊も正月の神も、共に家々の祖神だろうと思つているのである」という一文をあげて例証としている。ここから両者の対立は、終生、変わらなかったと判断されるだろう。

これは折口信夫「国文学の発生」（第三稿）中の次の言に対する柳田の異見と見てよいだろう。「沖縄の民間伝承からみると、まれに農村をおとずれ、その生活を祝福する者は、祖霊であつた。そうしてある過程においては妖怪であつた。さらに次の経路をみれば、海のあなたの楽土の神となつている。我が国においても、東西を見わたしてかんがえてみると、かすかながら、祖霊であり、妖怪であり、そうして多くの神となってしもうている事がみられる」。

柳田「山宮考」は祖霊を「盆に来る精霊」と「正月の神」に限定して述べているが、折口がこの時点で述べているのは、来訪神への信仰一般が過程的に変容していることである。文言から明らかなように、必ずしも日本の氏神に限定していない。テーマの設定の仕方のちがいにより、スレチガイが生じているのである。

たとえば、天ツ神が地上に降りて結婚し、そのまま留まった天若彦も来訪神であろう。天ツ神が遣わした鳥を射たため、返し矢で射殺された天若彦は葬儀もあげられなかった。そこで、出雲では、祀られなかった天若彦は、天と地を往き来し、若い娘の寝屋を覗くという伝説になっている。これは「妖怪」の類といってよい。

「民俗学」と「国文学」を分断し、柳田國男の民俗学を客観主義・実証主義とし、折口信夫の「実感」主義を主観主義のように考えている限り、最初から答えを決めているのと同じである。諏訪春雄は民俗を中国のそれを含めて民間の祭祀儀礼の側から考えてきた人だが、チベット仏教では、経典を読む前に悪魔祓いの呪文を唱えていた。シャーマニズムの上に、仏教がのったからである。日本に早くから伝わってきた孔雀経など、蛇を払う呪文がもとと考えてよい。今日でも、中国の民間道教の儀礼には、魔除けの作法があるとわたしは聞いている。

あとがき

本書は「なぜ、日本のナラトロジーが必要か」と題して、『季刊iichiko』No.153（2022 Winter）からNo.156（2022 Autumn）にかけて四回連載した原稿を再編集したものである。とはいえ、この数年、重ねてきた追究の骨格を「序章」に示し、季刊雑誌の連載ゆえに生じた重複箇所を削ったくらいで、第一章から第三章まで大きな改訂はない。

「なぜ、日本のナラトロジーが必要か」といえば、これまでの日本のナラティヴ（語り方）をめぐる研究が体をなしていなかったからである。そういわざるをえないのは、先行していた欧米のナラトロジーを一知半解のまま、文化基盤の相違を無視して適用しようとしてきたからである。

大きくとらえるなら、一九七〇年代から国際的に展開しはじめたナラティヴへの着目、とりわけ作品の「語り手」（ナレイター）の措定は、前近代・近現代の相違を超えて、テーマ（題材）中心主義と生身の作家への還元主義を超える地平を切り開き、作品の表現形態を正面に据えて論じる機運、またその媒体や享受及び評価史への関心を呼び起しながら展開してきたことはまちがいなく前進だった。

ところが、近代読者論などに度し難いほどの混乱も生み出した。最たるものは、内面の成立＝客体としての「風景」の成立論だった。景物描写なら上代からある。眺望を語れば、遠近も出る。日本近代に成立したのは、印象主義による新しい情景描写だった。

二〇世紀後期、わたしは一九二〇年代モダニズムから戦後にかけての日本の文芸文化史と取り組んでいたが、同時に、それらの混乱との格闘を強いられ、二〇世紀への転換期へと遡って、近代化の諸相と取り組みもした。その混乱の最大の原因は、第二次世界大戦後、体制派・反体制派を問わず、西洋近代へのキャッチ・アップを戦略目標に据え、日本の近代化過程をすなわち西洋化のスキームで捉え、それを賛美したり、その遅れを告発したり、江戸時代からの内在的近代化論も渦巻いていた。それが刷り込まれた頭で、欧米のポスト・モダンと称される近代を相対化しようとする思潮を受け止めたから、議論は混乱を極めたのである。いまだに、それが払拭できていない。

その間、エズラ・ヴォーゲルの「ジャパン・アズ・ナンバーワン」におだてられて、一九八〇年、首相・大平正芳の年頭所感は「お手本なき時代」を宣言。そののち、バブル経済が弾けて、そんなことがあったことすら、みんな忘れてしまった。「忘れられた三〇年」とでもいえばよいか。

その間、わたしは、その混乱の根本原因を「文学」「芸術」「歴史」「生命」「自然」など基礎概念の組み換えを根柢において、日本の近代的な学の編制の特殊性の問題と取り組んだ。西洋近代の概念と学の制度の日本流の組み換えの問題である。それは「近代の超克」を含めて、ナショナリズムの変容を追いながら、各時代に影響力をもった内外の第一級の思想家、学者の概念操作を覗き込む根気のいる仕事の連続だった。失敗と訂正を重ねて、充分なところに届いていると思わないが、その努力の方向を謙遜するつもりはない。努力の方向とは、相手の議論を内在的にとらえて批判を加え、一歩でも超える見解を出すことである。本書の第一章、第二章を覗いてもらえば、納得してもらえよう。

第三章では、第一章でとりあげた「物語の哲学」における柳田國男についての言及の覚束なさに触発され、改めて柳田國男の歩みをまとめなおした。とりわけ、『日本の祭』の読み直しができたことは、一つ成果になったと思う。昔、わたしがその氏族中心の考えにうんざりして放っておいたものだが、戦時期の言論の動きに踏み込んできたおかげで、そのなかで相対化することができた。

この一連のしごとは、二〇一九年に『季刊 iichiko』に機会を与えられ、わたしが再び、三度、明治期「言文一致」神話の問題と取り組んだことにはじまっている。もう一度、二葉亭四迷を読み直し、これまで序章を垣間見ただけで、放っておいた山本正秀『近代文体発生の史的研究』（一九六五）の議論の混乱を糺しもした。わたしは独自に総合雑誌や『ホトトギス』の募集日記などに知識人と庶民の文体の動きを探ってきたので、それらと国語教育史の領域で進んでいた研究を併せ、文部省が一九〇五年に言文一致体を許容するに至った経緯をまとめることができた。

次には、江戸時代の口語体の展開との関連が気になっていた三遊亭円朝の人情噺と取り組んだ。こちらも格段に研究が進んでいて大いに助けられたが、円朝の話体にも翻案にも、わたしなりの見解を加えることができたと思う。

言文一致に関連して、もうひとつ、気になっていたのは明治後期の知的青年たちの作文ブームだった。それがなければ博文館は『文章世界』という雑誌を創刊したりしなかったし、ましてやその主幹に田山花袋が座り、印象主義も象徴主義もひっくるめて「自然主義」と称するタームをふりまいたりしなかっただろう。そこへ導いてくれたのは、佐藤信夫のレトリック論シリーズのなかに、いまではすっかり忘れられた中国学を中心にした売文家、久保天髄『美文作法』(一九〇七)に言及があったからである。

佐藤信夫は当時の"belles lettres"の訳語、「美文」の概念にふれて、久保天髄を引き合いに出したのだが、それこそ当時の「文学」の広義(人文学すなわち文学部の「文学」)と狭義(「美文学」ないし「純文学」)に跨る用語で、ともに日本流にアレンジされていたが、日本の「文学」概念の混乱のもとでもあった。

二〇世紀末でも、第一線の明治文学の研究者が「美文」は「七五調美文」のことなどと口にしていたことを懐かしく思い出す。そういうわたしにしても『日本の「文学」概念』(一九九八)、『「日本文学」の成立』(二〇〇九)と取り組まなければ、同様だっただろう。かくして、概念の問題に戻ることになる。

だが他方、久保天髄『美文作法』は、確実に日本の「文体様式」(written modes)の問題にふれていた。そして、それは芳賀矢一・杉谷代水編『作文講話及び文範』(一九一二)への道を拓くものだった。といってもピンとくる向きは少ないだろう。われわれは、ナラティヴやレトリックの問題に関心をもっても、ジャンル概念とともに、日本の「文体様式」が世界に稀なるものであったことに無頓着でいる。それで、どうして日本のナラティヴが扱えようか。

というわけで、わたしの「知の新書」第二弾は「エクリチュールへ――言文一致論を超えて」となる。言文一致論を超え、レトリック論へ、それを超えた先に開けるのは、実は日本の読み書き言葉のナラティヴ、すなわちエクリチュールの問題である。

鈴木貞美（すずき さだみ） Sadami Suzuki

1947年、山口生まれ。1972年東京大学文学部仏語仏文学科卒業。創作、評論、出版編集、予備校講師等に従事。
1985年 東洋大学文学部国文科専任講師。1988年 同助教授。同年『新青年』読本（『新青年』研究会編）で大衆文学研究賞。
1989年 国際日本文化研究センター助教授。1997年「梶井基次郎研究」で博士（学術）総合研究大学院大学を取得。
同年 総合研究大学院大学国際日本研究専攻教授（併任）。日文研教授。
2004年 総研大文化科学研究科長等を歴任。
2013年 停年規定により日文研及び総研大を退職退任。同名誉教授。
・パリ社会科学高等研究院客員教授（2回)、中国・清華大学人文科学院特任教授、吉林大学外国文学研究院特座教授を歴任。
・早くから日本文芸史の再編と取り組み、また近現代出版史研究に携わる。
・学際的な視野に立つ文理に跨る各種の国際的共同研究を開発、従事。
・日本の「文学」をはじめ、「歴史」「生命」「自然」等、基礎概念の編制史研究を開拓し、深化に努めている。
著書、編著多数（本書2頁、参照)。

知の新書 J07/L02　(Act2: 発売 読書人)

鈴木貞美
ナラトロジーへ
—物語論の転換、柳田國男考

発行日　2023年10月6日　初版一刷発行
発行　㈱文化科学高等研究院出版局
東京都港区高輪 4-10-31 品川 PR-530号
郵便番号　108-0074
TEL 03-3580-7784　FAX 050-3383-4106
ホームページ　https://www.ehescjapan.com
https://www.ehescbook.store

発売　読書人

印刷・製本　中央精版印刷

ISBN　978-4-924671-78-2
C0090

Ecole des Hautes Etudes en Sciences Culturelles(EHESC)

Japanシリーズ

J01
「風の谷のナウシカ」と「モモ」から学ぶ
山本哲士
腐海＝環境汚染、灰色の産業社会、に対峙する二人の少女から生きる大切なものを学ぶ。

J02
おもてなしとホスピタリティ
サービスとのちがい
新資本経済学会編
村瀬永育／山本哲士
1対多数のサービスの画一性に代わり、1対1のホスピタリティを識別。

J03
成長から成熟へ
日本的文化資本の創造
駄田井正
核の脅威、資源枯渇、気候不順、経済格差と人間社会を脅かす現代社会経済から成熟へ。

J04
日本近代詩語
石、「かたち」、至近への遠投
藤井貞和
日本近代詩の存立根拠に迫り、そのゆくえを現在の世界線で考察する藤井詩学。

特別版
J05
帯・着物を愛でる母と呼ばれて
日本人のためのきもの精神文化
笹島寿美
着物を着ることで独特の所作が生まれる。帯に人生をかけた感動の心象の画像も収録。
カラー
240頁
2200円

特別版
J06
日本思想と日本語
コプラなき日本語の述語制言語
浅利 誠
命題形式の論理学を構文に重ねた誤りを批判。主語なき日本語の述語制を助詞から説く。
320頁
2970円

J07
ナラトロジーへ
物語論の転換、柳田國男考
鈴木貞美
柳田國男の再考から物語論を転じ、ヘイドン・ホワイト批判を通じて世界線で文芸を考える。

J08
言葉と声音
小説言語ことはじめ
野口武彦
一葉、岩野泡鳴、岡本かの子から、声の小説言語の始まりを問う。源氏物語考察を併録。
2023年
11月発売

Act1 知の環境第1幕 完 （発売は文化科学高等研究院出版局）

red シリーズ

基本的に 192 頁 **1430** 円

001 **甦えれ 資本経済の力** 文化資本と知的資本 **山本哲士**
002 **科学資本のパラダイムシフト** パンデミック後の世界 **矢野雅文**
003 **気候危機とコロナ禍** 緑の復興から脱炭素社会へ **松下和夫**
004 **超資本主義の現在** その本質への思想 **吉本隆明＋α**
005 **ジャック・デリダとの交歓** パリの思索 **浅利 誠**
006 **道徳判断のしかた** 告発／正義／愛／苦しみと資本主義の精神 **L・ボルタンスキー**
007 **場所のこころとことば** デザイン資本の精神 **河北秀也**
008 **歯は人生を左右する** 歯科治療の誤りを正す **坂井秀夫**
009 **007ジェームズ・ボンド論** ダニエル・クレイグ映画の精神分析と経済と哲学 **山本てつし**
010 **現代日本文学の考古学** 言語空間の読み方 **山﨑正純**
011 **日本文化を奏でる竹笛** 篠笛・真笛の日本の音 **蘭照／山口幹文／狩野嘉宏／秀勝**
012 **スポーツ観戦空間論** スタジアム／アリーナ 歓びの場所の過去・現在・未来 **橋本純一**

SONDEOS シリーズ

単行本の新書普及化

A01 **心的現象論・本論** **吉本隆明** 784頁 3960円
A02 **ミハイル・ブルガーコフ作品集** 256頁 1980円

【山本哲士著作撰】

101 **哲学する日本** 非分離・述語制・場所・非自己 540頁 2420円
102 **学校・医療・交通の神話** 384頁 2090円
103 **ミシェル・フーコーの統治性と国家論** 624頁 2970円
104 **古事記と国つ神論** 日本国の初まりと場所神話 832頁 3850円

笹島寿美 心象幻画集
Sumi Sasajima
帯・着物からみた女の姿情と曲線
E.H.E.S.C.

画集。稀なる美の世界。
B5 版上製本。
カラー入り 336 頁。
定価 13,200 円